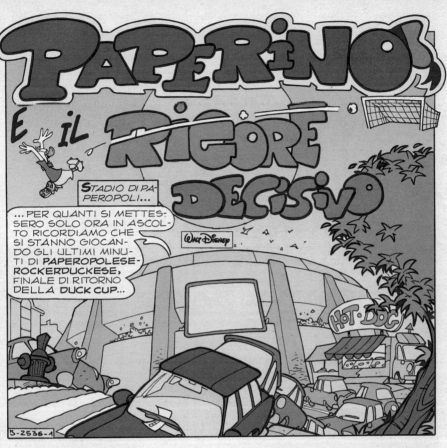

PAPERINO

E IL RIGORE DECISIVO

STADIO DI PA-PEROPOLI...

...PER QUANTI SI METTES-SERO SOLO ORA IN ASCOL-TO RICORDIAMO CHE SI STANNO GIOCAN-DO GLI ULTIMI MINU-TI DI **PAPEROPOLESE-ROCKERDUCKESE**, FINALE DI RITORNO DELLA **DUCK CUP**...

Walt Disney

B-2536-1

ANCHE SE E' SOLO UN TORNEO DI CAL-CIO AMATORIALE, E' UN EVENTO MOLTO SENTITO A PAPERO-POLI! VERO, BILLY?

VERIS-SIMO, FRANK!

7

OGGI LO STA-
DIO E' **GREMITO**,
ANCHE PERCHE'
LA SQUADRA VIN-
CENTE SI AGGIU-
DICHERA'...

**FORZA
PAPEROPOLESE!**

... UN VIAGGIO IN **PORTOGALLO**
PER DISPUTARE UN'**AMICHEVO**-
LE POCHE ORE PRIMA
DELLA **FINALISSI**-
MA DEGLI **EU-**
ROPEI!

PAPEROPOLESE
2
ROCKERDUCKESE
1

UN MI-
NUTO AL TER-
MINE! LA PAPE-
ROPOLESE CON-
DUCE **2 A 1**, MA
ALL'ANDATA
HA PERSO **1 A 0**...

...PERCIO' QUE-
STO RISULTATO DA'
LA VITTORIA AL-
LA SQUADRA
DI **ROCKERDUCK!**

ORMAI HAI
PERSO, VEC-
CHIA TU-
BA!

NON
ANCORA, PI-
VELLO!
SGRUNT!

INTANTO LA PAPE-
ROPOLESE GIOCA IL
TUTTO PER TUTTO!
ECCO PAPERAZZI
CHE PASSA A PA-
PAPERINO...

... IL GIOCATORE SUPERA
LA METÀ CAMPO PAL-
LA AL PIEDE...

...ALLARGA
PER DE PAPE-
ROS SULLA
SINISTRA...

... RICEVE IL PASSAG-
GIO DI
RITOR-
NO...

... ENTRA IN AREA
MENTRE MANCA
UNA MANCIATA
DI SECONDI AL
TERMINE!

10

E' UN MOMENTO **DELICATISSIMO**! SE LA PAPEROPOLESE SEGNA SI AGGIUDICHERA' LA VITTORIA, ALTRIMENTI SARA' LA ROCKERDUCKESE A PREVALERE!

NON VORREI ESSERE NEI PANNI DI CHI DOVRA' TIRARE IL RIGORE...

PAPERAZZI, SEI TU IL RIGORISTA!

MI FA MALE IL GINOCCHIO, MISTER!

IO HO MALE AL POLPACCIO!

IO AL MENISCO!

IO ALLO STOMACO!

IO AL TALLONE!

GLAB!

VI SIETE DECISI?

CERTO, LO TIRA PAPERINO!

MA... MISTER, IO... NON CALCIO MAI I RIGORI!

BE', CHE VUOI CHE SIA? PRENDI LA RINCORSA, TIRI E FAI GOL!

URGH!

11

12

13

INCREDIBILE! PAPERINO SBAGLIA E LA ROCKERDUCKESE VINCE LA DUCK CUP!

SIIIIII'!

OH, NO!

L'ENTUSIASMO E' INCONTENIBILE...

YU-UUUH!

OUCH!

AH! AH! CHE COSA TI DICEVO?

GRRR!

PAPERINO E' SEMPRE IL SOLITO IMPIASTRO!

BAH! CHE SCARSO!

SIGH!

I GIOCATORI DELLA ROCKERDUCKESE PORTANO IN TRIONFO TOBY TENAGLIA, L'EROE DELLA PARTITA...

CHE DISASTRO!

...VANNO SOTTO LA CURVA DEI LORO TIFOSI...

GULP!

...ED E' UNA MAGNIFICA IMMAGINE SPORTIVA! VERO, FRANK?

VERISSIMO, BILLY...

POCO DOPO, NEGLI SPOGLIATOI...

BE', SARAI CONTENTO, ADESSO!

HAI ANCHE INSISTITO PER TIRARLO!

E' VERO! SGRUNT!

POTEVI DIRLO, CHE NON SEI CAPACE!

MA IO NON...OUCH!

ALMENO NON RACCONTARE STORIE!

TOMP

NIPOTE DEGENERE!

QUESTA VOCE LA CONOSCO! AIUTO!

15

PER COLPA **TUA** HO PERSO MOLTI AFFARI CHE AVREI POTUTO CONCLUDERE IN **PORTOGALLO**! E ADESSO LI FARA' ROCKERDUCK!

GASP!

DEBITI

SENZA CONTARE I **DIRITTI TELEVISIVI** PER LA PARTITA AMICHEVOLE! SAI QUANTI SOLDI SONO?

EHM...NO!

ALMENO **DUE MILIONI DI DOLLARI** E QUESTO IN UNA STIMA PER **DIFETTO**!

BE', PENSAVO PEGGIO!

STAI CERTO CHE MI RIMBORSERAI! HAI SEGNATO, BATTISTA?

SI', SIGNORE!

PIU' TARDI...

ECCOLO! STA USCENDO, FINALMENTE!

STAMPA

16

MA, AMICI... IO NON SONO AMI-CO DI CHI MI HA FAT-TO **PERDERE!** CHIARO?

GLOM! VOR-RA' DIRE CHE PRENDERO' UN TAXI...

SALVE, VOR-REI ANDARE...

MA VOI NON SIE-TE **PAPE-RINO?**

TAXI

BELL'IMBRANATO... **SBAGLIA-RE** IN QUEL MODO!

DOVRESTE VERGOGNARVI!

SCORDATEVI IL TAXI!

GIA'! I **TRADITO-RI** COME VOI VANNO A PIEDI!

GLAB!

MI TOCCHERA' PRENDE-RE UN AUTOBUS! PERO' SONO **ESAGERATI**...

...IN FONDO E' SOLO UNA **PARTITA DI CALCIO**!

PAPE-RINO ME-RITEREB-BE UNA LEZIONE!

BUS STOP

PECCA-TO CHE NON E' QUI, ALTRI-MENTI!... GRRR!

A CHI LO DICI! IL MIO CAPUF-FICIO TIENE PER LA ROCKER-DUCKESE, CHI LO SENTE QUEL-LO DOMANI?

OH, NO!

E' PIU' **SALUTARE** FARE QUATTRO PASSI FINO A CASA, ANCHE SE E' DAL-L'ALTRA PARTE DELLA CITTA'!

MOLTO PIU' TARDI...

UFF! HO DOVUTO SCE-GLIERE STRADE SE-CONDARIE PER NON FARMI RICONOSCE-RE E COSI' CI HO MESSO IL **DOPPIO** DEL TEMPO!

CE L'HANNO TUTTI CON ME PER QUEL RIGORE! HO PROPRIO BISOGNO DI VEDERE UNA PERSONA **AMICA**!

PAPERINA MI TIRERÀ SENZ'ALTRO SU DI MORALE! EH, EH!

CIAO...

AH! SEI TU!

TI ANDREBBE DI CENARE INSIEME? HO AVUTO UNA GIORNATACCIA E...

CERTO CHE HAI UN BEL **CORAGGIO**!

AVEVO ORGANIZZATO UN **PARTY** PER LA VITTORIA DELLA PAPEROPOLESE, MA CI HAI ROVINATO LA FESTA! STIAMO SMONTANDO TUTTO!

GLAB!

COMUNQUE SONO VENUTO A INVITARVI A UNA FESTA PER IL TRIONFO DELLA ROCKER-DUCKESE CHE SI TERRA' AL **CLUB DEI QUADRIFOGLI!**

E' UN CLUB MOL-TO ESCLUSIVO!

GIA'! E IO SONO MEMBRO ONORA-RIO PER MERITI FORTUITI!

ANDIAMOCI SUBITO!

DIVERTITE-VI! SIGH!

CIAO, PAPERINO!

VIVA LA ROCKER-DUCKESE!

PAPERSERA

BE', FINALMENTE SONO A CASA! PER FORTUNA I NIPOTINI SONO DA NONNA PA-PERA E...

GLAB! MA CHE SUC-CEDE?

22

EHI! QUELLI SONO I *MIEI* MOBILI!

I BASSOTTI! MA...

ECCOLO, QUELLO CHE **SBAGLIA** I RIGORI!

AVEVAMO SCOMMESSO UN BEL PO' DI SOLDI SULLA VITTORIA DELLA PAPEROPOLESE, MA PER COLPA **TUA** ABBIAMO **PERSO** TUTTO!

GLAB!

E ALLORA CI RIFACCIAMO SU DI TE! QUALCOSA IN CONTRARIO?

NO...EHM...

LA PROSSIMA VOLTA CI PENSERAI BENE, PRIMA DI **SBAGLIARE** UN RIGORE!

E' POCO, MA SICURO!

24

25

VITTORIA! LO SAPEVO... E' DEGNO DI SUO ZIO!

GRRR!

QUELLO E' IL MIO PAPERINO!

BRAVISSIMO, ZIO!

...L'ENTUSIASMO DEI TIFOSI E' ALLE STELLE PER UNA VITTORIA CHE PORTA SOLO UN NOME, QUELLO DI **PAOLINO PAPERINO**! VERO, FRANK?

VERISSIMO, BILLY...

RACCONTACELO **ANCORA**!

HO VISTO SUBITO CHE IL PORTIERE ACCENNAVA AD UNA **FINTA** SULLA SINISTRA...

STAREI AD ASCOLTARLO PER ORE!

...HO FATTO FINTA DI CADERCI, MA ALL'ULTIMO HO TIRATO DALL'ALTRA PARTE E L'HO **SPIAZZATO**!

HO FATTO BENE A **SCEGLIERE** TE!

NIPOTE ADORATO!

QUESTA VOCE LA **CONOSCO**! EH, EH!

POTRÒ CONCLUDERE UN SACCO DI AFFARI IN **PORTOGALLO** GRAZIE AL TUO **SUPERBO** RIGORE!

GRAZIE, ZIO!

DEBITI

SENZA CONTARE I **DIRITTI TELEVISIVI**! PER QUESTO HO DECISO DI...

...**ANNULLARTI** TUTTI I **DEBITI**! PROCEDI, BATTISTA!

SCRÒK

E IN PIU' ECCO UN BONUS TUTTO PER TE, NIPOTE!

UAO! MILLE DOLLARI!

PIU'... TARDI... ECCOLO! STA USCENDO, FINALMENTE!

CHE COSA SI PROVA AD ESSERE IL PAPERO PIU' FAMOSO DI PAPEROPOLI?

E' VERO CHE DOPO LO STREPITOSO SUCCESSO PERSONALE DI OGGI PASSERETE AL PROFESSIONISMO?

TRE ORE DOPO...

PAPERINO, ANCORA UNA DOMANDA...

BASTA COSI', MI ASPETTANO!

SCUSATE IL RITARDO, RAGAZZI!

FIGURATI, CAMPIONE!

28

29

COSÌ... ACCOSTATE QUI, PER FAVORE!

VOGLIO PROPRIO SALUTARE PAPERINA!

DRIIN

CIAO... PAPERINO!

MIO EROE! SEI STATO **BRAVISSIMO! PCIU'! PCIU'!**

GRAZIE!

ABBIAMO ORGANIZZATO UN PARTY PER FESTEGGIARE! ERO **SICURA** CHE AVREMMO VINTO **GRAZIE A TE**!

EHI, C'È PAPERINO!

OGGI SEI ANCHE PIÙ **AFFASCI-NANTE** DEL SOLITO!

GIÀ, UN VERO **EROE**!

NE DUBITAVATE, FORSE?

COMUNQUE ASPETTIAMO MOLTI AMICI CHE SARANNO QUI A MOMENTI!

SONO **IMPAZIENTI** DI CONOSCERTI!

SALVE, AMICHE!

AH, SEI TU!

SONO VENUTO A INVITARVI A UNA FESTA AL CLUB DEI QUA-DRIFOGLI E...

AH, SÌ?

31

SPIACENTE, MA **NON** CI INTERESSA!

GIÀ, PREFE-RIAMO IL NOSTRO PARTY CON **PAPERINO**!

CLUB DEI QUADRIFOGLI! PFUI!

U-ULP!

PERÒ GASTONE PUÒ UNIRSI A NOI, MAGARI C'È BISOGNO DI QUALCUNO CHE SERVA DA BERE AGLI INVITATI!

GIUSTO!

MA...

PROCURATI UNA MARSINA DA CAMERIERE E TORNA TRA UN'ORA!

GRRR!

BE', ALLORA IO VADO A CAMBIARMI!

PCIU'! D'ACCORDO, MA FAI PRESTO!

EH, EH! FINALMENTE LE COSE VANNO PER IL VERSO GIUSTO!

PREGO, SIGNORE!

POCO DOPO...

CI VEDIAMO PIU' TARDI!

CIAO, ZIO!

NIPOTI! MA NON DOVEVATE ESSERE DA NONNA PAPERA?

CI ANDREMO DOPO! SAI, I NOSTRI AMICI VOLEVANO CONOSCERTI!

POSSIAMO FARE UNA FOTO INSIEME?

IO VOGLIO UN AUTOGRAFO!

IO DIECI!

EHI!

CALMA, RAGAZZI!

SIETE PROPRIO UN CAMPIONE!

EHI, TOCCA A ME!

CHE FORTUNATI AD AVERE UNO ZIO COSI' IN GAMBA!

GRAZIE, SIGNOR PAPERINO!
E' STATO UN PIACERE!
CHE MITO!

EH, EH! E' PROPRIO BELLO ESSERE AMMIRATO DAI RAGAZZI!

GLAB!

ECCOLO!

I BASSOTTI!
L'EROE DEL GIORNO!

A COSA DEVO... L'ONORE?

ABBIAMO VINTO UN SACCO DI SOLDI SCOMMETTENDO SULLA PAPEROPOLESE!

GIA', E TUTTO GRAZIE A TE!

34

PER QUESTO ABBIAMO DECISO DI **REGALARTI** UNA PARTE DELLA VINCITA!

TE LA MERITI!

UHM... SIAMO SICURI CHE QUESTI SOLDI ABBIANO UNA PROVENIENZA REGOLARE?

SCHERZI? NICK IL MARSIGLIESE E' ONESTISSIMO!

BE', ALLORA **GRAZIE**!

FIGURATI! HAI TIRATO UN RIGORE **ECCEZIONALE**!

COSI'...

CHE BELLEZZA! GRAZIE AL RIGORE CHE HO SEGNATO VA TUTTO BENONE!

SE PENSO ALLA **PAURA** CHE AVEVO PRIMA DI TIRARLO...

"**DEVO** SMETTERLA..."

"CROSS VERSO BUM-BUM GHIGNO... SARA' LA **PRIMA** PALLA DA LUI TOCCATA DURANTE IL MATCH..."

SGRUNT!

"GHIGNO PASTICCIA CON IL PALLONE RISCHIANDO DI FARSI TUNNEL DA SOLO..."

"AL NOVANTESIMO... COLPO DI SCENA! FALLACCIO IN AREA DI RIGORE!"

RI-SGRUNT!

"TIRO DECISIVO! POTREBBE RIMETTERE IN CORSA L'ANATROCK..."

"IN CASO DI GOL, SI ANDREBBE AI TEMPI SUPPLEMENTARI!..."

Fiiii!

PUGGI

"...MA GHIGNO MANCA CLAMOROSAMENTE IL PALLONE PRODUCEN-DOSI NELLA SUA FAMOSA **ZAPPATA STRAPPAERBA!** "

STRAAP

SGRUNT!

"**U**AH! UAH! ALMENO DUE CHILI DI TERRENO STRAPPATI! UN'OCCA-SIONE D'ORO BUTTATA ALLE OR-TICHE... "

"**L**'INCONTRO D'ANDATA FINISCE UNO A ZERO PER I QUACKERS! IL MATCH DI RITORNO TRA SETTE GIORNI, BLA, BLA, BLA... "

Fiìì Fiììlìì Fiììì

...MA IL RISULTATO E' SCONTATO, GRAZIE ALLA SUPERIORITA' DI GIOCATORI DEL CALIBRO DI **PAPERINO!**

COMPLIMENTI, ARCHI! LE RIPRESE CHE HAI FATTO SONO STUPENDE!

UMPF!

E IO MI DIVERTO AD AGGIUNGE- RE IL **COMMENTO** ALLE NOSTRE PARTITE.' EH, EH.'

SGRUNT.' NON MI PIACCIONO LE TUE TELECRONACHE.'MI METTI SEMPRE IN RIDICOLO!

IO? SEI TU CHE TI RIDICOLIZZI DA SOLO...

COME QUANDO VOLEVI GIOCARE IN PORTA... AH, AH.'

PERCHE' NON E' REGOLAMENTARE? CI SO- NO I PORTIERI-SARACINESCA, IO VOGLIO FA- RE IL PORTIERE-MURETTO!

FI-IIIIITI'

TSK.' E SE IO RACCONTAS- SI DI QUANDO DICEVI CHE PREFERIVI ALLENARTI DA SOLO...

ULP!

"...E INVECE L'ALLENATORE TI AVEVA RETROCES- SO A **LAVATORE DI MAGLIETTE**?"

"...E INTERVENTO DELL'ARBITRO! DOPPIA AMMONIZIONE!"

BASTA! FERMI!

SMETTETELA O NON FILMERO' PIU' LE PARTITE!

SIGH!

CERCA DI CAPIRE! SENZA QUESTI PUNZECCHIAMENTI RECIPROCI, NON C'E' SUGO!

MA VOI ESAGERATE! PROMETTETEMI CHE QUESTA SETTIMANA NON LITIGHERETE PIU' SUL CALCIO!

SOB! NON RIUSCIRO' A RESISTERE...

SIGH! SETTE GIORNI... DOVRO' ASPETTARE SETTE GIORNI...

"...FINO ALL'INCONTRO DI RITORNO TRA QUACKERS E ANATROCK!"

AH, AH! HO AVUTO UN'IDEA FANTASTICA! CON UN FOTOMONTAGGIO SU QUESTO ARTICOLO SPORTIVO...

...GIOCHERO' UNO SCHERZO EPOCALE A BUM BUM! ORA LA STAMPO!

PERFETTO! E' IMPOSSIBILE CAPIRE CHE E' FALSO!

Sensazionale! Il grande campione in ritiro tornerà a calcare un campo di calcio!

CABEZON GIOCHERÀ CON I QUACKERS!

L'imminente sfida tra due squadre di dilettanti diventa impari: si prevedono raffiche di gol nella porta dell'Anatrock!

LA MATTINA DOPO...

ORA FARO' ARRIVARE IL GIORNALE A BUM BUM! ECCO IL MOMENTO GIUSTO...

...PER UNA RAPIDA SOSTITUZIONE!

43

APPENA IN TEMPO!

ARGH! NON E' POSSIBILE!

IH, IH!

IL GRANDE CABEZON GIOCHERA' DOMENICA CONTRO DI NOI!

"CABEZON... IL CELEBRE CENTRAVANTI DAL COLLO EIETTABILE, PASSATO ALLA STORIA PER I SUOI COLPI DI TESTA IMPRENDIBILI!"

GLOM! L'ANATROCK NON HA SPERANZE... E IO DOVRO' ANCORA SUBIRE GLI SBEFFEGGIAMENTI DI PAPERINO!

44

UNA PROSPETTIVA INSOPPORTABILE!

AH, AH! IL MERLO CI E' CASCATO!

UHM... E SE INVITASSI ANCH'IO UN CAMPIONE A GIOCARE NELLA NOSTRA SQUADRA?

MAGARI NON E' COSI' DIFFICILE TROVARNE UNO DISPONIBILE ANCHE SOLO PER POCHI MINUTI!

GASP! SE CONVINCESSE UN CALCIATORE A GIOCARE, PER I QUACKERS SAREBBE UN BEL GUAIO!

MEGLIO SEGUIRLO... E ROMPERGLI LE UOVA DEL PANIERE!

POCO DOPO...

SONO UN VOSTRO GRANDE AMMIRATORE! POSSO...EHM... RUBARVI UN MINUTO?

ENTRA, HOMBRE!

GULP! TUCO PELOTA, IL FAMOSO ASSO SUDAMERICANO!

ECCO...IO SONO UN DILETTO GIOCATANTE... GLAB... VOLEVO DIRE... UN GIOCATORE DILETTANTE!

UN MOMENTO...

PRIMA BEVIAMO QUALCOSA! VOGLIO FARTI ASSAGGIARE...

...IL MIO FRULLATO DI FRUTTA PICCANTE! L'HO CHIAMATO FUEGO TROPICAL!

PFFF!

SLURP! QUESTO SAPORE MI RICORDA IL MIO PAESE!

FWOOOT

SOB! CHE SAUDADE, AMI-GO! CHE NOSTALGIA!

BE', PER VENIRE AL MOTIVO DELLA MIA VISITA...

CALMA, ANDIAMO A PARLARE IN VERANDA! C'E' PIU' FRESCO!

SBOTT

TE GUSTA LA MIA CASA, HOMBRE? L'HO ARREDATA IN STILE CARIOCA PER NON SENTIRMI LONTANO DAL MIO PAESE!

A... A BEN PENSARCI, IO SONO LONTANO DAL MIO PAESE!

AHIMÈ! CHE SAUDADE...CHE NOSTALGIA!

CHE TIPO!

FORSE POSSO DISTRARVI IO! CI SAREBBE LA POSSIBILITÀ DI GIOCAR ...

GIOCARE? SI'! GUARDA CHE COLPO A EFFETTO!

URGH!

BOTT

IN ESCLUSIVA PER TE LA SAMBA DI TUCO PELOTA, O' REY... IL RE!

GASP! SE ACCETTASSE DI GIOCARE CON NOI, STRAVINCEREMMO QUALSIASI PARTITA! CHISSA' CHE FACCIA FAREBBE PAPERINO!

EHM... TUCO PELOTA? C'E' UNA SORPRESA PER VOI!

?!

IL CIRCOLO CULTURALE NOSTALGIA STRUGGENTE VI DONA UN MODELLINO DEL PAN DI ZUCCHERO E UN BIGLIETTO AEREO IN PRIMA CLASSE PER RIO DE JANEIRO!

EHI, AMIGO! CHE SAUDADE!

GUARDATE CHE INARRESTABILE MACCHINA DA GOL, CHE FATICATORE DA CENTROCAMPO!

TRUMTRUMTRUMTRUM

UN ARIETE IN GRADO DI TRAVOLGERE QUALSIASI AVVERSARIO!

TRUMTRUMTRUMTRUM

E' IN GRADO DI FAR VINCERE QUALSIASI SQUADRA PER...

...LE SUE DOTI TECNICHE?

TRUMTRUMTRUMTRUM

PIÙ CHE ALTRO, PER SFINIMENTO!

TRUMTRUMTRUMTRUM

EH, EH! QUESTO TRUCCHETTO SARÀ SUFFICIENTE A DISTRARRE KATENACCIOS!

VRAOOOOOOOOOOMMMM

"...MUSTANG JOE, L'UOMO DAL PIEDE EQUINO, IL CALCIATORE DAL TIRO PIÙ POTENTE DEL MONDO!"

AMMIRA! IL MIO CALCIO E' COSÌ POTENTE CHE...

...CON UN **SOLO** TIRO POSSO FARE RIMBALZARE UN PALLONE PER ORE TRA DUE BARRIERE!

ULP!

SBOTT

SBOTT

UHM... DEVO NEUTRALIZZARLO PRIMA CHE ACCETTI DI GIOCARE PER BUM BUM!

SBOT SBOT SBOT

SBOT SBOT SBOT

VEDIAMO COME SE LA CAVA CON QUESTO **PESANTISSIMO** PALLONE PIENO DI SABBIA!

QUANDO MUSTANG LO COLPIRA', NE RICAVERA' UN **DOLORETTO** CHE LO OBBLIGHERA' A SALTARE LA PARTITA! AH, AH!

SOTTO LO SGUARDO DI BUM BUM, IL PALLONE DIVENTA UN PUNTO SEMPRE PIÙ PICCOLO NEL CIELO...

NOOMM

VISTO?

ULP!

GROAN! CHE SVENTOLA!

COMUNQUE NON POSSO PARTECIPARE ALLA TUA PARTITA! SONO STATO **CONVOCATO** DAL **CENTRO SPAZIALE PAPEROPOLESE**...

...PER **SPEDIRE IN ORBITA** CON IL MIO CALCIO LEGGENDARIO ALCUNI **PALLONI-SATELLITI METEOROLOGICI**! COSTERÀ MOLTO MENO DI UN MISSILE!

SGRUNT! UN'ALTRA OCCASIONE SFUMATA! PARE QUASI CHE CI SIA UN COMPLOTTO!

MUSTANG JOE

BE', BANDO AI PIAGNISTEI! ECCO QUI L'INDIRIZZO DI...

"...JOSÉ DRIBBLANGO, L'ATTACCANTE DALLA SERPENTINA SGUSCIANTE!"

UAO!

JOSE

UNA PARTITA IN UNA SQUADRA DI DILETTANTI? PERCHÉ NO?

FANTASTICO! È PIÙ DI QUANTO POTESSI SPERARE! MI STATE FACENDO IL REGALO PIÙ BELLO DELLA MIA VITA!

ALLORA, COMINCIO A PROGRAMMARE IL TASSAMETRO!

TASSAMETRO?

TIC TAC

SERVE A CONTARE I MINUTI DI GIOCO PER STABILIRE IL MIO COMPENSO!

COM-PENSO?

ESATTO! MILLE DOLLARI AL MINUTO! ESCLUSA, OVVIAMENTE...

55

COSI` E` LA VOLTA DI SARA-CINESKI, IL MITICO PORTIERE IMBATTIBILE!

PER PERFEZIONARE LA MIA TECNICA, HO STUDIATO PER ANNI LE *SCIMMIE!* LA LORO AGILITA` E` STRAORDINARIA!

MA NESSUNO HA MAI CAPITO LE MIE IDEE GENIALI! SOPRATTUTTO I GIORNALISTI, CHE MI HANNO SEMPRE CRITICATO!

C`E` CHI SI E` SPINTO ADDIRITTURA A FARSI BEFFE DI ME! SNORT!

I "SEGRETI" DEL GRANDE PORTIERE

Ah! Ah! Che ridere!

PER QUESTO RIFIUTO DA ANNI DI CONCEDERE INTERVISTE!

DETESTA I GIORNALISTI, EH? BENE!

DLIN DLONN

VOI INVECE MI SIETE SIMPATICO! POTREI ANCHE ACCETTARE IL VOSTRO INVITO!

SALVE! SONO IL FATTORINO DEL **PAPERSERA**! DEVO CONSEGNARE LA TESSERA AL **GIORNALISTA GHIGNO**... L'HA DIMENTICATA IN REDAZIONE!

GRRR! ALLORA MI HAI MENTITO! SEI UN GIORNALISTA, NON UN CALCIATORE DILETTANTE!

IO... UN GIORNALISTA? CHE COSA DITE?

SPARISCI! FUORI DI QUI!

FERMO! **AHIO!** CI DEV'ESSERE UN EQUIVOCO! UHI!

GROAN! BASTA... SONO STANCO DELLE BIZZE DEI CAMPIONI! MEGLIO RASSEGNARSI ALLA SCONFITTA!

FINALMENTE BUM BUM HA RINUNCIATO! POSSO TORNARE A CASA TRANQUILLO!

SOB! STAVOLTA SARA' DURA MANDAR GIU' GLI SBERLEFFI DI PAPERINO!

NO! NON POSSO ARRENDERMI COSI'!

HO ANCORA UNA CARTA DA GIOCARE...CONVINCERE CABEZON A **NON** GIOCARE CON I QUACKERS!

MA COME? RAPENDOLO?

O PIUTTOSTO SPAVENTANDOLO?

GUAI A TE SE GIOCHI!

E PERCHE' NON MINACCIANDOLO?

NON GIOCHARE XCHÉ SE NO QUALCHOSA DI BRUTO A TE TI KAPITA!! (E ANKE ALLI GOMME DELLA TUA MACKINA) FIRMATO: 1 AMICO

BAH! QUESTE SOLUZIONI NON MI SODDISFANO! MEGLIO SEGUIRE LA VIA PIÙ SEMPLICE!

MI PRESENTERÒ A CABEZON E GLI CHIEDERÒ DI...

...NON GIOCARE CON I QUACKERS! BU-UUUH! VI PREGO! NON SOPPORTEREI UN'ALTRA SCONFITTA!

?

M-MA... IO NON HO IN PROGRAMMA ALCUNA PARTITA!

COME? QUI C'È SCRITTO CHE PARTECIPERETE A UNA PARTITA DI DILETTANTI CONTRO LA MIA SQUADRA, L'ANATROCK!

VERAMENTE NON HO MAI RILASCIATO QUEST'INTERVISTA!

VOGLIO CONTROLLARE! HO ANCH'IO UNA COPIA DEL PAPERGOL DI OGGI...

?

GUARDATE! GLI ARTICOLI NON CORRISPONDONO!

GASP! ALLORA...

E' TUTTO UNO **SCHERZO** E PENSO DI CONOSCERNE L'**AUTORE**!

COSI' BUM BUM RACCONTA A CABEZON TUTTA LA STORIA...

PERCIO' HO CHIESTO **INVANO** AD ALTRI CAMPIONI DI AIUTARMI!

UHM...

MI SEI SIMPATICO, PAPERO, E VOGLIO ACCONTENTARTI! GIOCHERO' NELLA TUA SQUADRA FIN DAL PRIMO MINUTO!

UAO! DITE DAVVERO?

CERTO! HO VOGLIA DI FARE UNA BELLA PARTITA!

EVVIVA! QUASI NON CI CREDO! VOGLIO PROPRIO VEDERE LA FACCIA DI...

...PAPERINO!

GLOM! COM'E' POSSIBILE?

61

EH, EH! E' TUTTO MERITO MIO! CABEZON E IO SIAMO GRANDI AMICI...

CHE COSA DICI, PAPERINO? POSSIAMO DARE IL CALCIO D'INIZIO?

SOB! DA NON CREDERE... LO SCHERZO MI SI E' RITORTO CONTRO!

FINALMENTE E' GIUNTO IL MOMENTO ATTESO DA UNA VITA!

GROAN! NON ABBIAMO SPERANZE!

MA, AHIMÈ; BUM BUM... È DESTINO CHE L'IMPREVISTO CI METTA LO ZAMPINO! RICORDI IL PALLONE SCAGLIATO DA MUSTANG JOE NELLA STRATOSFERA?

BE'!...STA TORNANDO GIÙ!

FIII...

GLIP!

SOCK

URGH!

SBOTT

PUM

BLET... BLET...

OOOF!

SPLOT

TU, PAPERINO... CREDI DI AVERE FATTO UNO SCHERZO SIMPATICO A BUM BUM?

AMMETTO DI ESSERE STATO UN PO', EHM... BIRICHINÓ!

BE', ANCH'IO DEVO RICONOSCERE LA MIA... SCARSA PREDISPOSIZIONE AL CALCIO!

CHE SCIOCCHI SIAMO STATI!

IN FONDO, CIÓ CHE CONTA E' DIVERTIRSI!

FINALMENTE! COSI' VI VOGLIO VEDERE! LO SPORT DEVE AFFRATELLARE, NON DIVIDERE!

66

TSK! CON QUELLO CHE E' COSTATO, IL **PAPEROPOLI** NON L'AVREBBE MAI PRESO... VISTO IL PRESIDENTE CHE SI RITROVA!

QUEL TACCAGNO DELLO ZIO STA LIQUIDANDO MEZ-ZA SQUADRA!

MA ORA VUOI SMETTERE DI SFOGLIARE **TUTTOCAL-CIO** E DI DISTRARMI?

FRUSH!

TI RICORDO CHE ABBIAMO DECISO DI INCONTRARCI PER LEGGERE LE **OFFER-TE DI LAVORO** SUI GIORNALI!

UFF! SONO DUE ORE CHE SPULCIO GLI ANNUNCI MA NON HO TROVATO ALCUN IMPIEGO CHE FACCIA AL CASO NOSTRO!

O SONO TROPPO **BANALI** O VIENE RICHIESTA "MASSIMA COMPETENZA ED ESPERIENZA PLURIENNALE"!

E L'UNICA COSA IN CUI NOI SIAMO ESPERTI E'... LA LETTURA DEI GIORNALI SPORTIVI!

GIA'! LA NOSTRA SPECIALITA' E' IL CAMPIONATO DI CALCIO!

EHI! COME ABBIAMO FATTO A NON PENSARCI? E' PROPRIO LI' CHE POS-SIAMO FARE SOLDI!

COME NO? GIA' IMMAGINO LE MON-TAGNE DI DOLLARI CHE MI DARAN-NO PERCHE' SO A MEMORIA LA FOR-MAZIONE DEL PAPEROPOLI DI DIECI ANNI FA!

NON FARE SEMPRE IL DISFATTISTA E DIMMI... CHE COSA FACCIAMO OGNI AN-NO PRIMA DELL'INIZIO DI CAMPIO-NATO?

BE'... PENSIAMO A COME SI PO-TREBBERO RIORGANIZZARE LE SQUADRE!

QUELLO CHE FA QUESTO TIZIO DI PROFESSIONE!

INIZIALMENTE POTREMMO ACCONTENTARCI DI MOLTO MENO...

IL PROCURATORE DI PAPERALDINO HA INCASSATO UN MILIONE DI DOLLARI PER IL PASSAGGIO DELL'ATTACCANTE ALL'ANATROPOLI

...MA CON QUEL MESTIERE RISOLVEREMMO TUTTI I NOSTRI PROBLEMI ECONOMICI!

NON PENSERAI SERIAMENTE CHE NOI...

E PERCHE' NO.? DOPO ANNI DI STADIO, DI "TRIBUNALI DEL LUNEDI'" E DI "APPELLI DEL MARTEDI'" ALLA TV...

PERCHE' NON DOVREMMO SAPER CONSIGLIARE I GIOCATORI GIUSTI?

UHM... HAI RAGIONE!

SE IL PAPEROPOLI AVESSE ACQUISTATO CHI DICEVO IO AVREMMO SICURAMENTE VINTO LO SCUDETTO PIU' VOLTE!

ALLORA, CUGINO... TI HO CONVINTO?

SI', MA... CHI CONVINCERA' LE SOCIETA' CALCISTICHE A PRENDERE I GIOCATORI CHE PROPONIAMO NOI?

ANCHE PER QUESTO LAVORO SARA' RICHIESTA UN'**ESPERIENZA DECENNALE**! E PURTROPPO NESSUNO CI CONOSCE!

EHI, UN MOMENTO! CHE COSA DICEVI A PROPOSITO DELLO ZIO?

CHE STA **VENDENDO** META' DEI GIOCATORI DEL PAPEROPOLI PERCHE' CHIEDONO UNO STIPENDIO TROPPO ALTO!

MENTRE L'ALTRA META' SE NE VA DI SUA INIZIATIVA PERCHE' STUFA DI PAGARE DI TASCA **PROPRIA** LE TRASFERTE E I RITIRI!

QUINDI LA SQUADRA VA COMPLETAMENTE RIORGANIZZATA E, CONOSCENDO LO ZIO, VORRA' FARLO IN ECONOMIA!

E SE GLI PROPONESSIMO DI FARGLI RISPARMIARE I SOLDI DEGLI **ESOSISSIMI PROCURATORI** IN CAMBIO DI UN PO' DI PUBBLICITA'...

"...NEL MONDO DEL PALLONE?"

UHM... LA VOSTRA PROPOSTA E' INTE-RESSANTE!

NON TI DELUDERE-MO, VEDRAI!

SIAMO ESPERTISSIMI DI CAMPIONATO!

OH, QUESTO L'HO CONSTATATO DI PERSONA...

"...PIU' VOLTE!"

VOLETE SMETTERLA DI PARLARE DI CALCIO? VI PAGO PER LUCIDARE LE MONETE!

LA GAZZETTA DEL GOL

LUCIDO

TI TROVEREMO UNDICI CAMPIONI!

NE AVREI PROPRIO BI-SOGNO PERCHE' DO-PO LA... LIMATURA AGLI STIPENDI...

...AL PAPEROPOLI SONO RIMASTI SOLO IL MASSAGGIATORE E DUE RACCATTAPALLE!

73

BASTA COSÌ! QUESTA E' LA NOSTRA OF-FERTA!

CHI POTETE DARCI?

UHM... AL MASSIMO, LO **ZIO** DEL RAGAZZO!

HA GIOCATO TITOLARE DELLA SQUADRA QUALCHE...EHM...CHILO FA! MA E' ANCORA UN BUON MARCATORE!

BE', UN GIOCATORE ESPERTO E **DI PESO** IN DIFESA CI VUOLE! LO PRENDIAMO, MA...

... PER IL RESTO DELLA SQUADRA, FAREMO MEGLIO A CERCARE NUOVI TALENTI ALL' **ESTERO** DOVE C'E' MENO CONCORRENZA E GLI INGAGGI SONO PIU' BASSI!

FORSE HAI RAGIONE! DOVE ANDIAMO?

NELLA **PATRIA** DEI CAMPIONI DI CALCIO...

"...IN BRASILE!"

L'ALLENATORE DEL BROCO JUNIOR CI ASPETTA DIRETTAMENTE ALLO STADIO DOVE VEDREMO ALLENAR-SI LA SQUADRA!

DICE CHE HA UN CAMPIONE IN ERBA E CE LO CEDERA' PER QUATTRO SOLDI...

...SOLTANTO PER GEMELLARE LE NOSTRE DUE SQUADRE!

UAO!

UN GEMELLAGGIO CON I BRASILIANI! IL PAPEROPOLI DIVENTERA' UNA SUPER-SQUADRA!

MA...

SCUSATE, MISTER! QUESTO **SCARSIÑO** MI SEMBRA UN PO'!... **SCARSO**!

TSK! UN **VOLPONE**, VOR-RETE DIRE!

LA SUA SPECIALITÀ È **MIMETIZZAR-SI**! FINGERSI BROCCO PER ALLENTA-RE LE MAGLIE DELLA DIFESA...

...E POI AFFON-DARE I COLPI!

BE'... COME TATTICA NON È MALE, MA PERCHÉ ADOTTARLA ANCHE IN **ALLENAMENTO**?

SSST! PARLATE SOTTOVO-CE! VEDETE QUEL **FAL-SO** VENDITORE?

IN REALTÀ È L'AL-LENATORE DELLA SQUADRA AVVERSA-RIA CHE CI STA SPIANDO!

E QUEL **VOLPONE** DI SCARSIÑO VUO-LE TRARLO IN INGANNO!

A-AH! MI PAREVA CHE QUEL TIZIO AVESSE UNA FACCIA SOSPETTA!

AFFARE FATTO! ECCOVI L'ASSEGNO!

EH, EH! MAI VISTI DUE GONZI SIMILI!

E DOPO IL SUD AMERICA E' LA VOLTA DELL'EUROPA!

PRIMA TAPPA: UN CLUB FAMOSO PER AVER DATO I MIGLIORI PORTIERI ALLA NAZIONALE DEL SUO PAESE!

EHM... CON I SOLDI A DISPOSIZIONE, NON RIUSCIREMO NEMMENO A COMPRARE I GUANTONI DEL PORTIERE!

SUDETTUS

SE VOLESSIMO IL GIOCATORE TITOLARE... MA NOI CI ACCONTENTEREMO DEL VICE DELLA RISERVA!

ANCHE QUELLO CE LO VENDERANNO A PESO D'ORO!

QUANTO SEI PESSIMISTA, CUGINO!

RESTA QUI! STAVOLTA TRATTO IO!

E COSÌ... AH, AH! VENITE A VEDERE CHE CIFRA MI HA OFFERTO PER ALVARO LO PARO!

AH, AH! CHE IMPORTO RIDICOLO!

MA DA DOVE VIENE QUEL PAPERO?

LORY, DI' AL PORTIERE DI METTERE ALLA PORTA IL SIGNORE!

SCUDETTUS~

PREGO, SEGUITEMI!

UAO! CHE PRESTANZA ATLETICA! TRA I PALI SAREBBE UN VERO GIGANTE!

E SE PROVASSI A SALTARE LA DIRIGENZA, FACENDO L'OFFERTA DIRETTAMENTE A LUI?

78

SIETE UN **GRAN-DE PORTIERE**, VERO?

BE', NESSUNO SI E' MAI LAMENTA-TO!

ALLORA HO UN AFFARE DA PROPORVI! SARESTE DISPOSTO A VENIRE A PAPEROPOLI?

GULP! PER QUESTA CI-FRA FAREI ANCHE IL PORTIERE A TUMBUCTU!

PENSATE DI RIUSCIRE A ROMPERE IL CONTRAT-TO CON QUESTA SOCIETA' SENZA PROBLEMI?

CERTO! BASTERAN-NO SETTE GIORNI DI **PREAVVI-SO**!

FATTO! TRA UNA SETTIMANA IL NUOVO PORTIERE CI RAGGIUNGERA' IN SEDE... E PER UNA CIFRA IR-RISORIA!

BRAVISSIMO, CUGINO! NON SO COME TU ABBIA FATTO, MA QUE-STO E' DI BUON AUSPICIO PER TROVARE...

"...UN BUON MEDIANO!"

EHM... SICURO CHE QUEL PO-COFIA' SIA INFATICABILE?

CERTAMENTE, MONSIEUR! ORA LO VEDETE COSI; MA SONO VENTIQUATTRO ORE CHE SI ALLENA!

"E UN BUON FANTASISTA!"

LA SPECIALITA' DI BIDONOPOLUS E' IL CONTROLLO DI PAL-LA!

PROPRIO COSI! IERI HA FAT-TO PIU' DI CENTO PALLEG-GI CON UNA MELA!

EHM... NON SI POTREBBE VE-DERGLIENE FARE ALMENO DUE... CON IL PALLONE?

NON VI CONVIENE, ALTRIMENTI PO-TREMMO CAMBIARE IDEA E ALZA-RE IL PREZZO!

"E ORA DUE BUONI RINCALZI NELL'INTE-RESSANTE MERCA-TO ASIATICO..."

CINA.

82

"...QUEL PORTIERE!"

CHI HAI INGAGGIATO ALLA **SCUDETTUS**?

IL PAPEROPOLI E' STATO BATTUTO 21 A 0.!

URGH.! IL PORTIERE...MA DELLO **STABILE**.! QUANDO ME NE SONO ACCORTO, ERA TROPPO TARDI.!

PERO' ERO CONVINTO CHE CON LO **SQUADRONE** CHE AVEVAMO COSTRUITO, GLI AVVERSARI NON AVREBBERO FATTO **NEMMENO** UN TIRO IN PORTA.!

COMUNQUE ANCHE TU HAI LE TUE COLPE.! CHI HA INGAGGIATO L'ALLENATORE?

BE', SAPEVO SOLTANTO CHE COSTAVA LA **META'** DEGLI ALTRI...

...E NON CHE IN TUTTA LA SUA CARRIERA AVEVA VINTO UNA **SOLA** PARTITA.!

GIA'...A **TAVOLINO**, PERCHE' GLI AVVERSARI NON SI ERANO PRESENTATI IN CAMPO IN TEMPO.!

GLAB! I TIFOSI NON RIUSCIVANO NEPPURE A PROTESTARE!

GIA'! ERANO TROPPO IMPEGNATI A SBELLICARSI DALLE RISATE PER I LISCI DI SCARSIÑO E I LANCI IN TRIBUNA DI BIDONOPOLUS!

MEGLIO NON FAR SAPERE IN GIRO CHE C'E' IL NOSTRO ZAMPINO DIETRO A QUESTA SQUADRA!

URGH! MA QUALCUNO SA CHE SIAMO NOI I RESPONSABILI DEL DISASTRO...

...E NON CI DEVE TROVARE!

SWISSS

PAPERINO! PAPEROGA!

CREEEK

VENITE FUORI, NIPOTI! NON AVETE NULLA DA TEMERE!

VI SEMBRERA' STRANO, MA PER UNA VOLTA I VOSTRI PASTICCI SI STANNO TRASFORMANDO IN UN **AFFARE** PER ME!

SE CREDI CHE CI CASCHIAMO...

HO CAPITO! PENSATE CHE SIA UNA **TRAPPO-LA** PER SNIDARVI!

PROPRIO COSI'!

E ALLORA DATE UN'OCCHIATA A QUESTI **CONTRATTI**!

CONTRATTO TV

"**L**A RETE CHE TRASMETTE "QUEL-LI CHE IL **FOOTBALL**" E' DISPOSTA A SPENDERE UNA CIFRA ENORME PER RIPRENDERE LE PARTITE DEL PAPERO-POLI!..."

QUELLI CHE IL FOOTBALL

1 × 2
1 × 2
1 × 2
1 × 9

E ANCHE "MAI DIRE RETE", L'ALTRA TRASMISSIONE **COMICO-SPORTIVA**, È INTERESSATA!

LA **PAPERAPPA'S BAND** HA PRONTO UN **SUPER-ASSEGNO** PER POTER COMMENTARE GLI ESILARANTI ALLENAMENTI DELLA SQUADRA!

V-VUOI DIRE CHE NON T'IMPORTA SE IL PAPEROPOLI ANDRÀ IN **SERIE B**?

CON I MILIARDI CHE GUADAGNERÒ QUEST'ANNO POTRÒ COMPRARE VERI FUORICLASSE PER IL PROSSIMO CAMPIONATO!

MA... NON PENSI CHE I TIFOSI DISERTERANNO GLI STADI?

NON DIREI...

"AL BOTTEGHINO C'È UNA **CODA CHILOMETRICA**!

NON HO MAI **RISO** TANTO COME OGGI E NON VOGLIO PERDERE UNA PARTITA!

ANCH'IO! LA PROSSIMA VOLTA VERRÒ CON LA FAMIGLIA! È MOLTO MEGLIO DI UN **FILM COMICO**!

BOTTEGHINO

CAMPAGNA ABBONAMENTI

W POL!

PAPER

BE', ALLORA UNA PARTE DEGLI INCASSI SPETTA A NOI!

GIUSTO!

EH, NO! VOI VI ERAVATE IMPEGNATI A LAVORARE **GRATIS** IN CAMBIO DI UN PO' DI **PUBBLICITA'**!

SE PROPRIO VOLETE, DIRO' AL MONDO INTERO CHE...

...SIETE GLI **ARTEFICI** DEL NUOVO PAPEROPOLI!

EHM... MEGLIO DI NO! PREFERIAMO RESTARE NELL'ANONIMATO!

...E CERCARE UN NUOVO LAVORO!

EHI, HAI VISTO QUESTO ARTICOLO? MI E' VENUTA UN'IDEA FANTASTICA!

SOB! VORREI SAPERE PERCHE' CE L'HAI SEMPRE CON LE MIE IDEE!

FINE

PRODUTTORI DISCOGRAFICI **MILIONARI** FACENDO TALENTSCOUT DI GIOVANI PROMESSE

L'ANGOLO OTTUSO, PER TUA NORMA, E' UN ANGOLO MAGGIORE DI QUELLO RETTO, MAGGIORE CIOE' DI 90 GRADI!

CASPITA, NON TI SAPEVO COSÌ FORTE IN GEOMETRIA!

EH, EH! QUANDO MI CI METTO, IO SONO ANCHE **GEOMETRA**!

BE', ORA CERCA DI ESSERE SOLTANTO **PESCATORE**! CANNA IN SPALLA!

YIUK, YIUK! QUI NESSUNO CI DISTURBERA'! E' COSÌ BELLO PESCARE IN SANTA PACE!

IN SANTA PACE, PROPRIO NON DIREI! GUARDA LAGGIU', PIPPO!

91

95

SÌ!... DI TORI! **URAGANO**, IL MAGNIFICO ESEMPLARE CHE VOLEVA DISARCIONARE PRISCILLA, E' IL CAMPIONE DELLA CONTEA!

YIUK! CHE COSA ASPETTATE A FARNE BISTECCHE?

VENITE! VOGLIO MOSTRARVI ADESSO LA MIA COLLEZIONE DI RUBINI!

NE POSSEGGO CENTOQUINDICI!

CASPITA... UNA COLLEZIONE PREZIOSA!

QUESTO E' IL PIU' GROSSO DI TUTTI! PESA TRECENTO CARATI!

UH, UH! AL SUO CONFRONTO GLI ALTRI NON SONO CHE **RUBINETTI**!

AH, AH! SIETE SPIRITOSISSIMO, GIOVANOTTO!

ECCO MISTER PICK, GRANDE ESPERTO DI CAVALLI, MIO OSPITE DA UNA SETTIMANA!

PIACERE!

...ERE!

MISTER PICK DIVIDE CON ME E CON MIA FIGLIA L'HOBBY DELLA CACCIA AL PALLONE!

CACCIA AL PALLONE?

SORPRESO, VERO? ORA VI SPIEGO: ANZICHÉ DARE LA CACCIA A UNA POVERA VOLPE INDIFESA, NOI PARTIAMO A CAVALLO...

...ALLA RICERCA DI UN PALLONE COLORATO, SPARATO IN DIREZIONE DELLA FORESTA DA QUESTO SPECIALE CANNONCINO!

MISTER ODD, SIETE DAVVERO SORPRENDENTE!

ABBIAMO IN PROGRAMMA, PROPRIO PER DOMANI, UNA CACCIA AL PALLONE! SONO CERTO CHE VOI E IL VOSTRO AMICO VORRETE PARTECIPARVI!

SPIACENTE, MISTER ODD! SONO COSTRETTO A RIFIUTARE!

APPENA LA NOSTRA AUTO SARÀ RIPARATA, DOVREMO RIPARTIRE! HO IMPEGNI URGENTI IN CITTÀ!

CHE DICI MAI, TOPOLINO?

SIAMO VENUTI DA QUESTE PARTI PER PESCARE, CON L'IDEA DI RIMANERCI ALMENO UNA SETTIMANA!

CHE BELLO! CHE BELLO! IL VOSTRO AMICO VI HA FATTO RICORDARE CHE NON AVETE IMPEGNI DI SORTA! DOVETE PROMETTERE DI VENIRE A CACCIA CON NOI, DOMANI!

SGRUNT... PROMETTO!

L'INDO.
MANI
MATTI.
NA...

AVANTI!

TOC TOC

SONO LE CINQUE, SIGNORE! HO IL PIACERE D'INFORMARVI CHE TRA UN'ORA AVRA' INIZIO LA CACCIA!

GRRR!

IL VOSTRO AMICO SI E' ALLONTANATO POCO FA CON LA LENZA IN SPALLA! HA LASCIATO QUESTO BIGLIETTO PER VOI!

GRAZIE! DATE QUA!

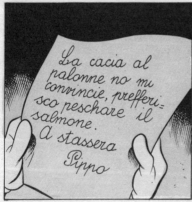

La cacia al palonne no mi convincie, preferi= sco peschare il salmone.

A stassera

Pippo

VORREI RAGGIUNGERE PIPPO... MA ORMAI HO PROMESSO! DURETTI QUESTI STIVALI CHE MI HA PROCURATO MISTER ODD!

NON SOLO NON TROVERÒ IL PALLONE, MA DOVRÒ RIENTRARE A PIEDI ALLA BASE!

IMPIEGHERÒ ALMENO TRE ORE!

OH, OH, OH... IL CAVALLO DEL "TOPO" SI È SBARAZZATO DEL CAVALIERE E FILA VERSO LA STALLA!

L'INCIDENTE MI SUGGERISCE DI METTERE SUBITO IN ESECUZIONE IL MIO PIANO!

AH! AH! AH! NON SARÒ IO CHE PORGERÒ AIUTO AL CACCIATORE APPIEDATO!

OOOH...FINALMENTE IL CASTELLO!

TRE ORE DOPO...

BENARRIVATO, SIGNORE! LA CACCIA E' FINITA DA UN PEZZO! PURTROPPO NESSUNO E' RIUSCITO A RITROVARE IL PALLONE!

QUESTA E' BELLA!

MISTER ODD HA MANDATO UNA SQUADRA DI PALAFRENIERI ALLA VOSTRA RICERCA, MA NON SONO RIUSCITI A RINTRACCIARVI!

PECCATO! E IL MIO CAVALLO?

ECCOLO QUA!

GRUNT!

IIIIIIHHH!

104

E' RIENTRATO SUBITO DOPO LA PARTENZA, TUTTO FELICE DI AVERVI PIANTATO IN ASSO!

GRUNT!

BRUTTO RONZINO, NON SO CHI MI TENGA...

IIIIIIIHHH...

MISTER TOPOLINO, ECCOVI FINALMENTE! SIAMO STATI IN PENA PER VOI!

MI DISPIACE, MISS PRISCILLA!

SE IL CORNO DI MISTER PICK NON SI FOSSE GUASTATO, AVRESTE POTUTO SENTIRLO E RAGGIUNGERE IL LUOGO DELL'ADUNATA NELLA FORESTA!

UNA VERA SFORTUNA!

MI SAREI RISPARMIATO UN BEL PO' DI STRADA A PIEDI!

IIIIIIIHH...

MIO PADRE E' IMPAZIENTE DI VEDERVI! ABBIAMO LA POLIZIA IN CASA!

LA POLIZIA?

SI'... E' SUCCESSO UN FATTO MOLTO GRAVE DURANTE LA NOSTRA ASSENZA! VENITE, VENITE!

Poco dopo...

TU, MANETTA?

GIA', PROPRIO IO! CHIAMATO AL MOMENTO OPPORTUNO PER DIMOSTRARE CHE TU NON SEI UN FAMOSO DETECTIVE, COME TUTTI CREDONO, MA UN ASTUTO DELINQUENTE!

NON BADATE ALLE PAROLE DELL'ISPETTORE! IO NON VI CREDO AFFATTO COLPEVOLE, ANCHE SE GLI INDIZI SONO CONTRO DI VOI!

QUALI INDIZI? SPIEGATEVI!

106

MENTRE SI SVOLGEVA LA CACCIA AL PALLONE, LA MIA PREZIOSA COLLEZIONE DI RUBINI E' STATA RUBATA!

OOOH!

IL CRISTALLO DURISSIMO DELLA BACHECA E' STATO SPEZZATO!

CASPITA!

NON C'E' BISOGNO DI ALTRE SPIEGAZIONI, MISTER ODD!

IL COLPEVOLE SEI TU, IO? TOPOLINO, E IO TI DICHIARO IN ARRESTO!

PERCHE' PROPRIO IO?

PER IL SEMPLICE MOTIVO, CARO VOI, CHE IL VOSTRO CAVALLO **NON E'** TORNATO ALLE SCUDERIE PRIVO DI CAVALIERE! VOI **NON** SIETE STATO DISARCIONATO, COME VI SIETE ILLUSO DI FAR CREDERE!

AH NO?

ASSOLUTAMENTE NO! VI HO VISTO BENISSIMO QUANDO, NEL CORSO DELLA CACCIA, AVETE VOLTATO LA CAVALCATURA PER SPINGERLA AL GRAN GALOPPO IN DIREZIONE DELLA VILLA DI MISTER ODD!

OH, IL GRAN BUGIARDO!

CHIUDI LA BOCCA, TOPOLINO! TUTTO E' CHIARO, ORMAI! GIUNTO NEI PRESSI DELLA VILLA, HAI LASCIATO LIBERO IL CAVALLO...

...SIETE PENETRATO IN QUESTO SALONE E, SENZA CHE NESSUNO VI VEDESSE, VI SIETE IMPOSSESSATO DEI RUBINI...

...POI, SEMPRE NON VISTO, TI SEI ALLONTANATO TRANQUILLAMENTE PER METTERE AL SICURO LA REFURTIVA!

ORA SIETE QUI PER RACCONTARCI DI AVERE COMPIUTO A PIEDI IL TRAGITTO DALLA FORESTA ALLA VILLA!

BAZZICARE CON I CRIMINALI TI HA TRAVIATO! A ME I POLSI, TOPOLINO! DEVO AMMANETTARTI!

UN MOMENTO, AMICO!

IO NON HO MAI RACCONTATO A NESSUNO D'ESSERE STATO DISARCIONATO, ANCHE SE LA COSA E' AVVENUTA!

PERCHE' DUNQUE MISTER PICK SENTE IL BISOGNO DI NEGARE QUELLO CHE IO NON HO MAI DICHIARATO?

TI CONOSCO, TOPOLINO! TU CERCHI D'IMBROGLIARE LE CARTE, MA NON M'INCANTI! MANETTE, SUBITO!

FERMO, ISPETTORE! MISTER TOPOLINO E' MOLTO CHIARO NELLA SUA ESPOSIZIONE! LASCIATELO CONTINUARE!

CAPIRETE PIÙ TARDI! FUORI LA VOSTRA PISTOLA, ISPETTORE!

COSÌ VA BENE! MANI IN ALTO, ADESSO!

I RUBINI LI HO PRESI IO, D'ACCORDO, MA NON HO ALCUNA INTENZIONE DI RESTITUIRLI! FERMI TUTTI DOVE SIETE O SARÀ PEGGIO PER VOI!

AH! AH! AH!

CRA CRA

IL FURFANTE CI HA RINCHIUSI A CHIAVE!

CHE RAZZA DI POLIZIOTTO SIETE? VI SIETE LASCIATO DISARMARE!

IO... IO...

MISTER TOPOLINO, CHE GIOIA SAPERVI INNOCENTE!

A DOPO LE FELICITAZIONI! ORA DIAMO L'ALLARME!

YIUK!

AL LADRO! AL LADRO! FERMATE PICK! FERMATELO!

YZ-17

TOPOLINO VUOLE CHE SI FERMI QUEL TIZIO! BENE, IO LO FERMERÒ!

UUUHH!

CRASH

URRÀ, PIPPO! BEL COLPO!

EH! EH! IL RIENTRO DEL MIO AMICO DALLA PESCA NON POTEVA ESSERE PIÙ TEMPESTIVO!

CREDEVATE DI FARLA FRANCA, EH? QUANDO C'E' DI MEZZO L'ISPETTORE MANETTA, METTETEVELO IN TESTA, NON SI SFUGGE ALLA LEGGE! ANDIAMO, LA PRIGIONE VI ASPETTA!

I MIEI PIU' VIVI RINGRAZIAMENTI, TOPOLINO! AVETE SMASCHERATO IL LADRO E RICUPERATO LA REFURTIVA!

IL MERITO E' TUTTO DI PIPPO!

SE LUI NON AVESSE NOTATO I PASSAGGI DI PICK NEI PRESSI DEL FIUME, IO NON AVREI POTUTO RITORCERE L'ACCUSA LANCIATAMI DAL FURFANTE!

GIUSTO!

NON CAPISCO, PERO', COME AVETE POTUTO A COLPO SICURO SCOPRIRE IL NASCONDIGLIO DEI RUBINI!

SEMPLICE, MISTER ODD! VOSTRA FIGLIA MI AVEVA FATTO PRESENTE CHE IL CORNO DA CACCIA S'ERA GUASTATO...

MENTRE PICK E MANETTA LANCIAVANO CONTRO DI ME LE LORO ACCUSE, IL PARTICOLARE MI E' VENUTO IN MENTE...

HO TIRATO A INDOVINARE E HO COLTO, COME AVETE VISTO, NEL SEGNO!

SIETE VERAMENTE FORMIDABILE!

A PROPOSITO, MISS PRISCILLA! LA CACCIA COM'E' ANDATA?

MALISSIMO! NESSUNO E' PIÙ RIUSCITO A TROVARE IL PALLONE!

EH! EH! EH! ECCOLO QUA IL VOSTRO "ARNESE"!

L'HO PESCATO NEL FIUME, MENTRE FILAVA TRASPORTATO DALLA CORRENTE!

AH! AH! AH! INVECE DI UNA **CACCIA** AL PALLONE E' STATA DUNQUE UNA **PESCA** AL PALLONE!

AH! AH! DITE BENE, MISTER TOPOLINO!

AH! AH!

fine

119

EH, EH! **25 A 0!** VI ABBIAMO STRACCIATO!

IL VOSTRO PORTIERE NON PARE- REBBE NEANCHE UN... **PALLO- NE AEROSTATICO!**

ALLORA NON AVRAI NULLA IN CON- TRARIO A CON- CEDERE LA RIVINCITA!

CERTO CHE NO! AH, AH!

PRIMA ERAVATE UNA SQUADRA **RIDICOLA,** MA ADESSO...

...SIETE SOLO UN GRUPPETTO DI **BROCCHI!**

SGRUNT!

CIAO! CI VEDIA- MO TRA QUINDI- CI GIORNI!

SNORT!

121

125

L'ALLE-NAMENTO DEL PORTIERE, INVECE, E' COMPITO DI QUA...

COLLAUDEREMO LA TATTICA D'URTO!

E CIOE'?

DIVEN-TERAI PIU' CORAGGIOSO DI UN LEONE!

GULP!

ROARR

IL PALLO-NE TREMERA' SOLO A VEDERTI!

YAAAH!

AAAH!

STUMP

GNAM! SQUISITE!

GIA'! IN CUCINA LO ZIO E' IMBATTIBILE!

EH, EH! ANCHE IL TUO APPETITO NON SCHERZA!

DICI CHE LA PROSSIMA PARTITA ANDRA' MEGLIO?

SONO SICURO CHE VINCEREMO!

IN FONDO SIAMO L'UNICA SQUADRA AD AVERE UNDICI ALLENATORI!

AH, AH!

QUAL E' IL PROGRAMMA DELLE PROSSIME ORE?

HO REGISTRATO LA PARTITA OCOPOLI-PAPEROPOLI!

CHE COSA NE DITE DI STUDIARLA INSIEME?

D'ACCORDO!

CI STO!

129

132

ARRIVA COSI' IL MOMENTO DELLA RIVINCITA...

FORZA, TOM!

TIRA, TIRA'!

AVETE PRESO RI-PETIZIONI AL CIRCO?

STUMP

CERTO, PER SAPERE CHE COSA FARE CON I PAGLIACCI CO-ME TE!

TUNF

134

"Per esempio, qualche tempo fa..."

PE-PEREPE

OLE! VIVA!

CLOP

CLOP

CLOP

BUONA GIORNATA, PAPERISTRA!

FERMATI, PAPEROCRATE!

141

PAPERISTRA! CAPISCO CHE NON E' FACILE, MA DEVI SFORZARTI DI COMPRENDERLO, IL TUO PAPEROCRATE!

PROPRIO NON CAPISCO CHE COSA CI TROVI NELLE CORSE E NEL LANCIO DEL DISCO E DEL GIAVELLOTTO!

LO SO, ANCHE PER ME SONO UNA GRAN NOIA!

MA, IN FONDO, DOPO UNA GIORNATA DI FATICHE, I NOSTRI UOMINI HANNO DIRITTO DI SVAGARSI, NO?

VERAMENTE, PAPEROCRATE NON FATICA MAI!

NON IMPORTA! SE LO AMI, DEVI SAPERGLI ANDARE INCONTRO!

UFFA! PER TE E' FACILE PARLARE, BRISEIDE! TU, IL FIDANZATO NON CE L'HAI!

AHIMÈ! PUR DI AVERNE UNO, MI SORBIREI VOLENTIERI TUTTI I GIOCHI DEL PELOPONNESO!

"Ogni volta è la stessa storia, caro Diario! Lascia che ti descriva come vanno le cose..."

STAVOLTA, FEDONE L'ATENIESE LANCERÀ IL DISCO PIÙ LONTANO DI TUTTI!

AH! AH! AH!

ULP! GASTONIDE!

SEI UN ILLUSO, PAPEROCRATE!

TUTTI SANNO CHE AGATONE IL FULGIDO È IL MIGLIOR DISCOBOLO DELLA GRECIA, ISOLE COMPRESE!

TSK! LO VEDREMO CONTRO FEDONE!

FEDONE È IL PIÙ GRANDE!

PFUI! AGATONE SE LO MANGIA, IL TUO CAMPIONE!

FEDONE NON VALE UN SANDALO BUCATO!

143

"Gli uomini, inevitabil-
mente, ritornano in condi-
zioni abominevoli...e in-
dovina a chi tocca curarli?"

IO SONO STANCA DI QUESTA SITUAZIONE! NON SOPPORTO DI VEDERTI **CONCIATO** COSÌ!

SPLAT

HA VINTO, ALMENO, QUEL VOSTRO DISCOBOLO DA STRAPAZZO?

SIGH...NO! E POI, NON L'HO VISTO... **EHM...ERO IMPE-GNATO** CON GASTONIDE!

MA LA PROSSIMA VOLTA, ALLE COR-SE DEL DIO ARES, CI RIFAREMO... AHI!

LA PROSSI-MA VOLTA TI BENDERAI DA SOLO!

STUMP

Infatti...

DAI, LISIPPO... CORRI! VAIII!

DAI, SANTIPPO... VAI COSI' CHE SEI UN FULMINEEE!

OLE'! VITTORIA!

ZIP

SGRUNT! NON VALE! SANTIPPO HA FATTO LO SGAMBETTO A LISIPPO! GIUDICI DI GARA VENDUTI!

SIGH! ANCHE STAVOLTA E' ANDATA STORTA!

USCITA

147

NON DIRE NIENTE, SO COSA PENSI! MI BENDO DA SOLO, COME VEDI!

OH, PAPEROCRATE!

DIMENTICHIAMO I NOSTRI CONTRASTI E FACCIAMO PACE!

?!

NON SEI ARRABBIATA?

NO, MI SONO INFORMATA! ABBIAMO DAVANTI A NOI UN LUNGO PERIODO SENZA GIOCHI...BEN DIECI GIORNI!

POTREMO FINALMENTE CELEBRARE LA NOSTRA FESTA DI FIDANZAMENTO!

QUESTO E' IL MIO DONO RITUALE! E' UN UNGUENTO PROFUMATO!

DEVI FAR SPARIRE BERNOCCOLI E CONTUSIONI! PER LA NOSTRA FESTA, VOGLIO CHE TU SIA BELLISSIMO!

OUCH!

FRRRR

"Il giorno stabilito, Paperocrate doveva venire a prendermi a casa per condurmi a passeggio tra la folla degli amici e invitati..."

SONO PROFUMATO COME UN FIORE! PUAH!

CONGRATULAZIONI, PAPEROCRATE!

FORTUNA E FELICITÀ!

OH! COME SEI ELEGANTE! SEMBRI UN ATTORE DI TEATRO!

UMPF! IO, VERAMENTE, MI SENTO RIDICOLO CON QUESTO STRASCICO!

LA VESTE LUNGA E' ALL'ULTIMA MODA! LA PORTANO GLI UOMINI PIU' IN VISTA DI ATENE!

PAPEROCRATEEE!

UH?

I GIOCHI DI OLIMPIA... ANF... HO APPENA SAPUTO CHE E' STATO DECISO DI ANTICIPARLI DI UN GIORNO!

COSA?! QUESTO SIGNIFICA...

149

...CHE, SE NON PARTIAMO SUBITO, CE LI PERDIAMO! TERRIBILE!

EHM...MIA ADORATA...

OH, NO! NON E' POSSIBILE! NON POSSO CREDERE CHE STAI PER PIANTARMI PER I GIOCHI! DIMMI CHE NON E' VERO!

I GIOCHI OLIMPICI SONO TROPPO IMPORTANTI!

E NOI QUANDO CI FIDANZIAMO?

EH! EH! LA MOLLA IL GIORNO DEL FIDANZAMENTO, DAVANTI A MEZZO VILLAGGIO!

UN'ALTRA VOLTA!

GRRR! ZEUS, DAMMI LA FORZA...

ADESSO BASTA! GLI DARO' UNA LEZIONE!

150

"Dopo la figuraccia di fronte a tutto il villaggio, avevo bisogno di un incoraggiamento! Perciò andai da nonna Paperippe!"

"La nonna è una spartana tutta d'un pezzo!"

URGH... PANT...

EHILÀ, NONNA!

NIPOTE MIA! COME SEI CAMBIATA!

FATTI GUARDARE...UHM! MI SEMBRI UN PO' TROPPO GRACILINA E RAFFINATA! NON AVRAI DIMENTICATO LE TUE ORIGINI SPARTANE, VERO?

HAI BISOGNO DI UN PERIODO DI RUDE VITA DEI CAMPI!

NONNA... HO UN PROBLEMA!

PAT PAT

151

EH, CAPISCO... GLI UOMINI SONO FATTI COSÌ! ANCHE TUO ZIO PAPERONIDE VA MATTO PER I GIOCHI! OGNI VOLTA CHE PARTE...

".. GLI CONSEGNO UNO SCUDO!"

TORNA CON QUESTO O SU QUESTO!

"MA TORNA SEMPRE SU QUELLO!"

IO NON MI ARRENDO! TROVERÒ UN MODO PER GUARIRLI DALLA MANIA!

BEN DETTO, NIPOTE! NON DOBBIAMO RASSEGNARCI! SIAMO SPARTANE, NOI!

152

"Tornata al villaggio, presi la parola in piazza e mi rivolsi alle altre donne..."

RAGAZZE! COSI' NON SI PUO' ANDARE AVANTI! BISOGNA REAGIRE!

CHI DI VOI NON E' STATA ABBANDONATA NEI GIORNI DEI GIOCHI?

ULP!

I GIOCHI NON SONO UNA CATASTROFE INEVITABILE!

153

"Un'idea ce l'avevo! Ci mettemmo subito in marcia per Olimpia e riuscimmo ad arrivare laggiù proprio per la fine dei giochi..."

ABBIAMO AN-CORA PERSO! SUL CAMPO E...FUORI!

UHM...SO DOVE ALLOG-GIANO GLI ATLETI! FORSE, SE NOI...

"Raggiungemmo la casa del filosofo Aristodemo proprio mentre gli atleti la stavano lasciando..."

COME LI RICONO-SCIAMO?

ARISTODEM?

IMPOSSIBILE SBAGLIARE! GUARDA LÀ!

YUUU-UH! GLORIOSI ATLETI!

?

155

UH? DITE A NOI?

SIETE AGATONE E SANTIPPO? ALLORA, DICIAMO PROPRIO A VOI!

GLOM! NON CAPITA SPESSO CHE LE RAGAZZE SI INTERESSINO A NOI!

DOVREBBE CAPITARE CONTINUAMENTE, INVECE!

MA, FORSE, E' PERCHE' NON PASSATE MAI DAL NOSTRO VILLAGGIO!

TU CHE NE PENSI, SANTIPPO?

UHM... MI E' VENUTA VOGLIA DI PRENDERMI UNA *VACANZA*, AGATONE!

VOLETE INDICARCI LA STRADA PER IL VOSTRO VILLAGGIO?

PER NOI, E' SOLO UN PIACERE!

NON IMMAGINATE QUANTO! EH, EH!

"È così..."

SIETE ABBASTANZA COMODI, RAGAZZI?

COMODISSI-MI, GRAZIE!

LA TUA OSPI-TALITA' E' SQUI-SITA, PAPE-RISTRA!

PAPERISTRA, C'E' DI LA' PAPEROCRATE! CHIEDE DI TE!

VADO, NONNA!

EHM... CIAO, MIA ADORATA! E' UN PO' CHE NON CI VEDIAMO!

HO AVUTO MOLTO DA FARE!

STAVO PENSANDO CHE SI POTREBBE ANDARE, NOI DUE SOLI, A DELFI, A CONSULTARE L'ORACOLO!

NON SERVE L'ORACOLO PER DIRTI CHE SARO' IMPEGNA-TA ANCHE IN FUTURO!

COME VEDI, HO OSPITI!

GASP!

COME HAI POTUTO INVITARLI? SONO GLI AVVERSARI!

TUOI E DEI TUOI AMICI, FORSE! IO TENGO PER LORO!

E ORA SCUSAMI... I DOVERI DI OSPITALITÀ MI RECLAMANO!

RAGAZZI, SAREI FELICE SE INDOSSASTE QUESTE TUNICHE CHE HO TESSUTO PER VOI!

SONO SPLENDIDE, PAPERISTRÀ!

HO SEMPRE SOGNATO DI POSSEDERE UNA TUNICA COSÌ!

SONO CONTENTA CHE APPREZZIATE L'OSPITALITÀ, CARISSIMI!

SGRUNT! DISGUSTOSO!

160

"In quanto ai nostri uomini, erano ormai al giusto punto di cottura!"

QUESTA STORIA DEVE FINIRE! LE NOSTRE DONNE NON HANNO OCCHI CHE PER GLI ATLETI!

GUARDATE COME VADO IN GIRO! MIA MOGLIE TESSE PER I CAMPIONI, MA NON RAMMENDA PER ME!

QUESTA E' LA MIA CENA DA QUANDO MIA MOGLIE CUCINA PER QUEI DUE!

LA MIA RAGAZZA NON HA MAI VOLUTO SUONARE PER ME, MA STA CONSUMANDO LA CETRA PER AGATONE E SANTIPPO!

ANDIAMO A CASA DI PAPERISTRA!

RIMETTIAMO LE COSE AL LORO POSTO!

161

162

OH, SANTIPPO! TU CORRI COME ERMES, IL MESSAGGERO DEGLI DEI!

FACCIO DEL MIO MEGLIO!

AGATONE CARISSIMO! LO SAI CHE LANCI IL DISCO DIVI-NAMENTE?

VERAMENTE...NESSU-NO DEI NOSTRI DEI LANCIA IL DISCO!

METTITI IN POSA, AGA-TONE! VERRAI IMMOR-TALATO NEL MARMO!

GRRR...

IO, A QUELLO LI', GLIELO SPACCO IN TESTA, IL DISCO!

CHE COSA CI TRO-VATE IN QUEI MUSCOLI GONFIATI?

QUANTE SVENEVO-LEZZE PERCHE' SAN-NO LANCIARE UNO STUPIDO DISCO!

ERAVATE VOI CHE NON POTEVATE FARE A MENO DI VEDERLI! ADESSO, FORSE, CI PENSERETE SU!

NON MI DIRAI CHE E' TUTTA UNA **FARSA?**

ALLORA, VOLEVATE SOLO DAR LORO UNA LEZIONE?

BE'...SI'!

LO SAPEVO CHE NON POTEVA ESSERE VERO! LE RAGAZZE CI HANNO SEMPRE SNOBBATI! DICONO CHE SIAMO ROZZI!

OH! NOI NON LO SAPEVAMO! CI DISPIACE!

I VOSTRI UOMINI SONO DEGLI SCIOCCHI! NOI, SE AVESSIMO UNA MOGLIE, STAREMMO A CASA CON LEI!

E, INVECE, NON CE L'AVETE! QUINDI... **ARIA!**

SIGH! E VA BENE... RIPRENDEREMO LA NOSTRA VITA **SOLITARIA!**

OH, NO! ANCHE TRA NOI CI SONO **TANTE RAGAZZE** CHE NON HANNO MARITO!

164

"Finimmo per arrivare a un compromesso! Quattro soli giorni di giochi al mese e il resto del tempo a casa!"

FORTUNA E PROSPERITA'!

"Quando non partecipano alle gare, gli atleti soggiornano a casa di Briseide! Lei adesso ha due candidati fidanzati... e non sa quale scegliere!"

ORA NON MI SENTO PIU' TRASCURATA!

CARISSIMA, POSSO ANDARE A FARE QUATTRO PASSI, MENTRE TU SCRIVI IL TUO DIARIO?

CERTO, TESORO! MA NON TI ALLONTANARE!

UMPF! CHE NOIA, SENZA GIOCHI!

166

TOPOLINO, PIPPO E LA COPPA AZTECA

TRA UN'ORA COMINCERÀ LA PARTITA **TOPOLINIA-MOUSE CITY** E...

E' TUTTO PRONTO? POP-CORN, ARANCIATA, MEGA-FONO E TELEVISORI DI RISERVA?

TRANQUILLO, HO CONTROLLATO E RICONTROLLATO! FAREMO UN TIFO INCANDESCENTE!

PECCATO CHE I BIGLIETTI SIANO **ESAURITI DA MESI**! SAREBBE STATO BELLO ANDARE ALLO STADIO...

...E VEDERE LA **FINALISSIMA DI COPPA** DAL VIVO! MA MI ACCONTENTO ANCHE DI SEGUIRLA IN TV!

BE', ALMENO QUI NON CI DISTURBERÀ **NESSUNO!**

BRIIIIIP

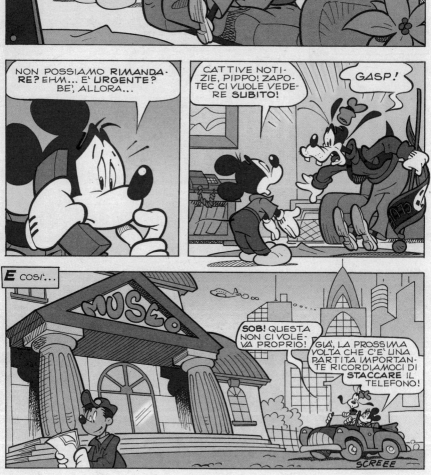

QUELLO CHE AFFERMATE E' **RIDICOLO**, ZAPOTEC!

RIDICOLO SIETE **VOI**, MARLIN!

EHI! DEV'ESSERCI UNA DISPUTA IN CORSO!

EH, EH! NON E' UNA NOVITA'!

QUEI DUE NON PERDONO MAI OCCASIONE DI LITIGARE SULLE LORO TEORIE!

DIREZIONE

!

E' PERMESSO?

QUELLO STUPIDO SPORT VI HA TOLTO IL BUON SENSO, ZAPOTEC!

NON VI PERMETTO DI PARLARE COSI'! IL **CALCIO** E' UN GIOCO INTELLIGENTISSIMO!

PFUI! TANTI ADULTI CHE SI CONTENDONO UN PALLONE!

CHE C'E' DI STRANO? LO HANNO FATTO TUTTI I POPOLI **PIU' EVOLUTI** DELL'ANTICHITA'!

DITE DAVVERO?

CERTO! IL CALCIO DEI **MITICI AZTECHI**, PER ESEMPIO, ERA MOLTO SIMILE AL NOSTRO!

PER GIOCARE AL **POK TA POK** ERANO PREVISTI **SETTE** GIOCATORI PER SQUADRA E **DUE ARBITRI!** ALLORA NON ESISTEVA LA MOVIOLA! EH, EH!

QUESTI **BASSORILIEVI** PRECOLOMBIANI LO CONFERMANO! INOLTRE, TESTIMONIANO ALTRE **DIFFERENZE** RISPETTO AL CALCIO ODIERNO!

PER ESEMPIO, ERA CONSENTITO L'USO DI **RACCHETTE** SIMILI A QUELLE DELLA **PELOTA** O DI **MAZZE** COME QUELLE DEL BASEBALL!

BATT

MA, GENERALMENTE, GLI **AZTECHI** COLPIVANO LA PALLA CON IL CORPO! USAVANO **SPALLE, FIANCHI, GINOCCHIA** E **GOMITI!**

172

C'ERA ANCHE UN **BONUS** SPECIALE! SE UNA SQUADRA RIUSCIVA A FAR PASSARE IL PALLONE...

"...ATTRAVERSO UNO DEI CERCHI SUI BORDI LATERALI, **VINCEVA** LA PARTITA, **QUALUNQUE** FOSSE IL SUO PUNTEGGIO!"

EHI, SEMBRA PIU' EMOZIONANTE DEL NOSTRO CALCIO!

UNPF! NON POTETE BASARVI **SOLO** SU DESCRIZIONI **APPROSSIMATIVE!**

VI RICORDO CHE LA FOTOGRAFIA E' STATA INVENTATA MOLTI SECOLI DOPO, MARLIN! CHE COSA PRETENDETE?

LA VERITA'! DIMOSTRATELA E VI REGALERO' UN **ABBONAMENTO** AL CAMPIONATO!

E' QUELLO CHE FARO'.O NON ASSISTERO' **MAI PIU'** A UNA PARTITA!

EHM...SCUSATE, PER QUALE MOTIVO CI AVETE CONVOCATO?

CHE DOMANDE! PER SPEDIRVI A CONTROLLARE CHI DI NOI HA RAGIONE!

E COSÌ:.. NON POTEVAMO PARTIRE **DOPO** LA FINALE DI COPPA?

NO! LA MACCHINA DEL TEMPO HA BISOGNO DI UNA **REVISIONE** URGENTE...

...CHE **IO** EFFETTUERÒ MENTRE VOI SARETE NEL **PASSATO**!

MOOOLTO RASSICURANTE!

VORRESTE FARCI PARTIRE CON UN MEZZO DIFETTOSO?

TRANQUILLI! TUTT'AL PIÙ AVRETE UN VIAGGIO...EHM...UN PO' MOVIMENTATO!

GRUNT!

E NON PREOCCUPATEVI PER LA PARTITA! VE LA **REGISTRERÒ** IO MENTRE LA GUARDO!

BRAVO!

COMPLIMEN-TI, AMICO!

SEI UN VERO **CAM-PIONE!**

FUORI DAL MIO CAMPO, ESIBIZIO-NISTA!

CLAP CLAP

PAT PAT

Fiiiii!

LA SQUADRA E' AL **COMPLETO** E NON C'E' POSTO PER AL-TRI GIOCATORI!

ECCO, IO, VE-RAMENTE...

NIENTE SCUSE! HAI INTERROTTO L'ALLENA-MENTO PIU' IMPORTANTE DELLA STAGIONE!

CALMA! ME NE VADO!

QUANDO TORNIAMO NEL PRE-SENTE, MARLIN MI SENTIRA'! SONO STANCO DI ESSERE CATAPULTATO SEM-PRE NEL POSTO **SBAGLIATO!**

NON PRENDER-TELA! PER UNA VOLTA SIAMO STA-TI FORTUNATI!

ABBIAMO VERIFICATO CHE ZAPOTEC AVEVA RA-GIONE! IL NOSTRO LAVO-RO E' GIA' **FINITO!**

SALVE, STRANIERI!

177

SEI DAVVERO IN **GAMBA**, AMICO...AMICO...

PIPP...

PIPPOK! E IO SONO **TOPOLINOS!**

COME AVETE FATTO AD APPARIRE DI COLPO? SIETE ARRIVATI DAL NULLA?

BRAVO, HAI INDOVINATO! VENIAMO NEL **PASSATO** E...AHIA!

PAFF

EHM...VOLEVA DIRE CHE **HA PASSATO** MOLTI GIORNI A STUDIARE COME INFILTRARSI IN CAMPO PER ESIBIRSI!

YUK! INFATTI!

PIPPOK E' UN GRANDE APPASSIONATO DEL **POK TA POK!** SPERAVA DI ENTRARE IN SQUADRA!

POK... COSA?

QUEL GIOCO... NON E' IL **POK TA POK?**

NO! SI CHIAMA **SFERA!**

178

UHM...STRANO! COME HA FATTO ZAPOTEC A PRENDERE UN GRANCHIO SIMILE?

E' UNO SPORT MOLTO DINAMICO!

ABBA-STANZA!

MA A NOI PIACE POCO!

E' NOIOSO! E' MOLTO ME-GLIO DOPO!

IL BELLO COMINCIA QUAN-DO FINISCE LA PARTITA!

BENE, RAGAZZI! PER OGGI PUO' BASTARE!

RA'-RA'-RA'

L'AZTEKOS VINCERA'!

ABBIAMO OTTIME SPERANZE! DOMANI LA COPPA SARA' NOSTRA!

CIAFF

179

VEDO CHE HAI FAT-TO AMICIZIA CON GLI STRANIERI, **YUKI**!

SÌ, PAPÀ! PIPPOK E TOPOLINOS SONO MOL-TO SIMPATICI!

EHM...VORREI SCU-SARMI PER L'INTRU-SIONE, SI-GNORE!

CHIAMAMI **ORTOS**, PIPPOK!

PIACERE, ORTOS!

SCUSAMI TU! DOMANI GIOCHEREMO LA FINALE DI **COPPA AZTEKLAN** E SONO UN PO' NERVOSETTO!

GENTILE, TUO PAPÀ!

E BRAVO! E' UN GRANDE **ALLENA-TORE** DI SFERA!

VI **OSPITERO'** A CASA MIA! TUTTE LE LOCANDE SONO OCCUPATE DAI TIFOSI!

PIU' TARDI...

UNA CENA DELIZIOSA, SIGNORA **CLARAS**!

SIETE UNA CUOCA FORMIDABILE!

GRAZIE! SARETE STANCHI! YUKI VI INDICHERA' LA VOSTRA STANZA!

VENITE, AMICI!

NON SO SE RIUSCIRO' A DORMIRE! SONO **IMPAZIENTE** DI ASSISTERE ALLA PARTITA DI DOMANI!

ANCH'IO! SARA' UNA GRANDE FINALE! MA IL **BELLO** VERRA' **DOPO**!

E' QUELLO CHE DICEVANO ANCHE I TUOI AMICI! MA CHE COSA SUCCEDERA' DI COSI' ENTUSIASMANTE?

BE', DOVETE SAPERE CHE...

YUKIII!

SCUSATE! LA MAMMA MI CHIAMA!

182

STRANO: ZAPOTEC NON HA ACCENNATO A NIENTE DI PARTICOLARE!

GIÀ! PENSAVO CHE LA NOSTRA INDAGINE FOSSE FINITA, MA NON È ANCORA COMINCIATA!

YUK! QUESTI MISTERI MI TERRANNO SVEGLIO TUTTA LA NOTT... ZZZ...

EH! EH! È COSÌ STANCO CHE NON HA NEPPURE FINITO LA FRASE!

PIÙ TARDI...

TU METTITI LÌ E TU LÌ!

IH! IH! NON VEDO L'ORA CHE VENGA IL MIO TURNO!

COLPITE DURO! XANOS NON DEVE CHIUDERE OCCHIO!

PER ABBUFFOS, INVECE, USERÒ UN SISTEMA DIVERSO! CORRO SUBITO A SISTEMARLO! AHR! AHR!

E COSÌ...

CIIIRP!

CIIIRP!

GULP! UN UCCEL-
LO NOTTURNO!

SONO TESISSIMO PER
LA PARTITA DI DOMANI
E CI HO MESSO UN'ORA
PER ADDORMENTARMI!

IH! IH!

CHIUDI IL
BECCO!

YAWN! TENTERÒ DI
RIPRENDERE SONNO!

MA...

CIRP!

SIGH!

BAU!
BAU!

MIAOOO!

INFINE...

TOC TOC TOC...

ZZZ... EH? UH? CHI SARÀ MAI?

UN ATTIMO! ARRIVO!

TOC TOC TOC

CHE COSA VOLETE A QUEST'ORA?

SCUSA IL DISTURBO, GRANDE AB-BUFFOS! SIAMO TUOI AMMIRATORI E TI ABBIAMO PORTATO UNO SPUNTINO NOTTURNO!

YUM! PURTROPPO L'ALLENATORE CI HA ORDINATO DI STARE LEGGERI!

IL SAGGIO ORTOS HA RAGIONE! MA LEGGERI NON SIGNIFICA AFFAMATI!

QUALCHE FETTINA DI PASTICCIO NON POTRÀ CHE GIOVARTI!

MI HAI CONVINTO, AMICO! SLURP!

ZOOM!

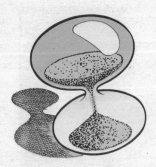

"LE ORE DELLA NOTTE SCIVOLANO LENTE..."

MA NON TUTTI DORMONO...

BAU! GUU GUUU! CIIIRP! MIAO!

NON NE POSSO PIU'! MANCAVA SOLO IL **TACCHINO SELVATICO** PER COMPLETARE L'ORCHESTRA!

ORMAI E' COTTO A PUNTINO!

VIA CON IL GRAN FINALE!

AH, FINALMENTE UN PO' DI SILENZ... ZZZ...ZZZ...

SWISS

BAM BAM BAM

NOOO! MA ALLORA NON E' UN INCUBO!

FORTE! PIU' FORTEEE!

E' INUTILE CHE GRIDI! NON TI SENTO!

BAM BAM

186

INTANTO, DA ABBUFFOS...

BURP! SONO PIENISSIMO! EH,EH!

PECCATO! RESTAVA ANCORA DA ASSAGGIARE LA TORTA AL **TRIPLO CIOCCOLATO** GLASSATO AL MIELE!

MA E' IL MIO DOLCE PREFERITO!

NATURALMENTE, SE NON HAI PIU' FAME, PUOI SEMPRE RINUNCIARE!

SOLO UNA FETTINA, PER NON OFFENDERVI!

IH! IH!

SLURP

ADESSO, PERO', BASTA SUL SERIO!

CHICCHI-RICHI'I'I'!

GIUSTO! E'ORA CHE TI PREPARI PER LA PARTITA!

188

...E IN QUELLO DEGLI *AZTEKOS*...

COME MAI XANOS E AB-BUFFOS NON SONO ANCO-RA ARRIVATI!? NE SAPETE NIENTE?

NO!

SE NON SI SBRIGA-NO, DOVREMO GIO-CARE IN CINQUE!

ECCOCI, ORTOS! *YAWN*!

SCUSA IL RITARDO! HO AVUTO QUALCHE PROBLEMA DIGESTIVO!

E IO NON HO CHIUSO OCCHIO TUTTA LA NOTTE!

GASP! COME VI SIETE RIDOTTI!?

SONO I MI-GLIORI GIOCA-TORI DELLA SQUADRA! SEN-ZA DI LORO SIAMO SPACCIATI!

FiiiiiiI

IL FISCHIO D'USCI-TA! IN CAMPO, SVELTI!

ECCO I VALOROSI BRUTOS E IL LORO ALLENATORE MALOS!

ED ECCO I GRANDI, IMBATTIBILI AZTEKOS...

...CANDIDATI ALLA COPPA!

YAWN!

BURP!

EHM...MI CORREGGO! NON SONO PIU' COSI' SICURO CHE SIANO LORO I FAVORITI!

VI RIDURREMO IN POLPETTE, ORTOS!

LA PARTITA E' ANCORA TUTTA DA GIOCARE, MALOS!

VISTO CHE SEI COSÌ SICURO, GIOCHIAMOCI IL **MANTELLO** SU CHI SEGNA PER PRIMO!

MAI!

HAI **PAURA** DI PERDERE, EH?

PROVOCHI? ALLORA MI GIOCO IL MANTELLO SULLA PRIMA RETE E LA **DIVISA** SULLE SEGUENTI!

FISCHIO D'INIZIO!

TONF

GWISS

FIIIII...

PUFF... PUFF...

QUELL'ABBUF. FOS MI SEMBRA PIUTTOSTO LENTO!

EPPURE, DI SOLITO CORRE COME UN FULMINE!

XANOS, INVECE, È UN GRANDE PORTIERE, MA OGGI DORME IN PIEDI!

YAWN!

191

E ANCORA...

OPLA'!

PAFF

YAWN!

RETEEE!

ZOOM

UN'ALTRA RETE! AHR! AHR!

ECCO IL COPRICAPO! E' L'ULTIMO PEZZO CHE MI RESTA!

MI DISPIACE PER TUO PAPA'!

VENTI A ZERO! NON E' UNA SCONFITTA: E' UNA CATASTROFE!

SE CONTINUIAMO COSI', PAPA' PERDERA' IL POSTO DI ALLENATORE!

EPPURE IERI LA SQUADRA SEMBRAVA DAVVERO IN FORMA!

GIUSTO, TOPOLINOS! ECCO LA SOLUZIONE!

AL POSTO DI ABBUFFOS SCHIERERÒ IL **GRANDE PIPPOK**!

UHM...

PERCHÉ NO? NON È MAI SUCCESSO, MA NON È PROIBITO!

UN BEL PASTICCIO!

GIÀ, SONO UNA FRANA A CALCIO...FIGURATI A **SFERA**...SIGH!

CHI È QUEL PIPPOK?

UN VERO ASSO! L'HO VISTO IERI AGLI ALLENAMENTI!

BISOGNA MARCARLO STRETTO, SENZA ESCLUSIONE DI **COLPI**!

TRANQUILLO, MALOS! IH, IH!

PAFF

E COSÌ...

CORAGGIO! È LA TUA GRANDE OCCASIONE!

M-MA IO N-NON...

IL GIOCO RIPRENDE...

PACC

SWISS

NON HO LA MINIMA IDEA DI CHE COSA FARE! DELUDERO' TERRIBILMENTE YUKI!

MALOS HA ORDINATO DI **FALCIARLO** PRIMA CHE POSSA FAR DANNI! **SERVITO!**

OUCH!

TACC

POVERO PIPPO! IL GIOCO SI FA PESANTE!

BISOGNA SOSTENERLO! PRONTI, RAGAZZI?

PIPPOK! TIRA, PIPPOK!

MA...

AHIA!

NON TI E' BASTATO IL PRIMO COLPO? IH! IH!

SBATT

197

PIPPOK TIRA PIPPOK!

POK TA POK!

EHI! ALMENO UN MISTERO E' RISOLTO!

SNAP

CAMBIERANNO NOME AL GIOCO IN ONORE DI PIPPO! MA PERCHE'? COME GIOCATORE NON VALE GRANCHE'!

GRAT

GRAZIE, RAGAZZI! SIETE DAVVERO GENTILI!

PIPPOK TIRA PIPPOK!

IH! IH! ECCOLO SISTEMATO DEFINITIVAMENTE!

AHIO!

TOON FO

199

OUCH!

BBBMMM

GROODABAMM

AHIAAAA!

COM'E' POSSIBILE? SARESTE DOVUTI ARRIVARE NELLA CABINA!

CON LA VOSTRA MACCHINETTA DIFETTOSA **TUTTO** E' POSSIBILE, MARLIN!

STATE BENE, ZAPOTEC?'

BENISSIMO! RACCONTATEMI DEL POK TA POK, PRESTO!

IN BREVE...

...E QUESTO E' TUTTO!

AFFASCINANTE!

SÌ! MA CHE COSA SUCCEDEVA DI TANTO IMPORTANTE **DOPO** LA PARTITA?

BE', L'ENTUSIASMO DI YUKI ERA COMPRENSIBILE!

I BORDI DEL CAMPO VENIVANO SIGILLATI CON ASSI DI LEGNO, POI...

200

"...IL CAMPO VENIVA RIEMPITO D'ACQUA, FORMANDO UN'ENORME **PISCINA**..."

SPLASH

ARRIVO!

DOVE GLI AZTECHI SGUAZZA-VANO CONTENTI!

ASSOLUTAMEN-TE FANTASTICO! A PROPOSITO DI PARTITE...

...QUESTA E' LA VIDEOCASSETTA DELLA FINALE DI COPPA!

BAH! NON M'INTERES-SA PIU', ZAPOTEC!

CHE VOLETE CHE M'IMPORTI DI UNA BANALE PARTITA DI CALCIO? HO APPENA VINTO LA **COPPA AZTEKIAN!**

AH! AH!

FINE

201

INDIANA PIPPS

SEGRETO E IL DEI PELOTONES

UNA NUOVA, MISTERIOSA META ATTEN-
DE INDIANA PIPPS E TOPOLINO...

LA CITTÀ PERDUTA DEI
PELOTONES... CHE COSA SAI
DI QUESTO ANTICO
POPOLO?

MOLTO POCO!

13-2540-4

SPERO DI SCOPRIRNE DI PIÙ
TROVANDO LA CITTÀ... E SVELAN-
DO IL LORO **SEGRETO**!

QUALE?

PARE CHE I PE-
LOTONES, MILLEN-
NI FA, ABBIANO
CREATO LA **PRIMA
VERSIONE** DEL
GIOCO DEL
CALCIO!

204

"I PORTIERI ERANO SEMPRE MOLTO PREOCCUPATI..."

PERCHE' TI NASCONDI?

E SE A QUALCU- NO VIENE IN MENTE DI TIRARE?

BE', E' DIFFICILE APPASSIONARSI A UNO SPORT DEL GENERE!

INFATTI!

"IL PUBBLICO NON ERA PER NIENTE ENTUSIASTA..."

YAWN! COME E' FINITA?

E ME LO CHIEDI? ZERO A ZERO! NESSU- NO HA TOCCATO LA PALLA!

IL CALCIO STAVA QUINDI PER ESSERE DIMENTICATO, PERO'...

PERO'?

"FORTUNATAMENTE EMERSE IL GENIO DELL'ALLENATORE MELENIO TATTICALPA..."

DEVO TROVARE IL SISTEMA DI SBLOCCARE LA SITUAZIONE, ALTRIMENTI RESTERO' DISOCCUPATO!

205

FINALMENTE...

LA CITTÀ DEI PELOTONES! ECCO IL CAMPO CON LE PORTE DI PIETRA!

SOTTO LA PANCHINA DOVREBBE ESSERCI LA PERGAMENA CON IL SEGRETO DI MELENIO!

PENSA! SE IL SUO METODO FUNZIONAVA CON UN PALLONE DI PIETRA...

...FARÀ FAVILLE CON I MODERNI PALLONI DA CALCIO!

CHE EMOZIONE, LEGGERE GLI APPUNTI DI UN AUTENTICO GENIO DELLO SPORT!

ALLORA? QUAL ERA IL METODO DI MELENIO?

ULP! USARE... SCARPE DI PIETRA!

OH, NO!

FINE

PAPERINO PAPEROTTO E LA CANOTTIERA IMBARAZZANTE

J-2533-1

MATTINO PRESTO A *QUACK TOWN!* DA UNA FATTORIA DI NOSTRA CONOSCENZA GIUNGE LA VOCE DI *UN CERTO PAPEROTTO...*

NO, NO E NO!

209

NON SE NE PAR-
LA NEANCHE!

AVANTI,
PAPERINO!
ESCI DA
LI'!

FINIRAI
PER FARE
TARDI A
SCUOLA!

SARA' PER
UNA **BUONA**
CAUSA!

NON CREDO CHE
LA SIGNORINA
WITCHCRAFT AP-
PREZZERA' IL
GESTO!

MA NONNA!
TU NON
CAPISCI!

E' UNA TRAGEDIA!
UNA CATASTROFE!
**UN DISASTRO
COSMICO!**

BOH? A ME
SEMBRA
SOLO...

SBAM

...UNA **NORMALISSI-MA** CANOT-TIERA!

UN' **ABOMINEVO-LE** CANOTTIERA, TI RENDI CONTO?

UNA DI QUELLE CHE DANNO UN FASTIDIO TERRIBILE!

SCOMMETTO TUTTE LE MIE FIGURINE CHE **TU** NON TE LA SEI MAI MESSA, VERO?

COME SOSPETTAVO! I **VERI CAMPIONI** NON SANNO NEANCHE CHE COSA SIA UNA CA-NOTTIERA!

SIGH! PERCHE' **SOLO A ME** DEVE TOCCARE QUESTA SORTE TREMENDA?

NON SOLO A TE!

UH?

LA MAMMA DI TOM MI HA ASSICURATO CHE ANCHE LUI NE INDOSSA UNA!

UMPF! NON E' UNA CONSOLAZIONE!

E POI A LUI STA COSI' STRETTA CHE E' PRATICAMENTE INVISIBILE!

LA SUA NON **SBORDA** DALLA MAGLIETTA COME QUELLA!

SUCCEDE PERCHE' E' NUOVA! VEDRAI CHE, DOPO QUALCHE LAVAGGIO, SI RESTRINGERA'!

URGH!

UHM...FORSE È DAVVERO UN PO' GRANDE...

MA COSÌ TI ANDRÀ BENE ANCHE L'ANNO PROSSIMO!

L'ANNO PROSSIMO? IO NON SO NEMMENO COME ARRIVERÒ...

"...ALLA FINE DELLA GIORNATA!"

UHM...

GLOM!

RI-UHM...

UMPF!

COME VEDETE NELLE FOTO, LA **GIUNGLA EQUATORIALE** È UNA GRANDE FORESTA...

BRIIIN

NON MI PRENDI! NON MI PRENDI!

GRRR! IO TI...

ASPETTA, PAPERINO!

SNORT! CHE COSA C'E', LOUIS?

LASCIA PERDERE TOM! VOGLIO FARTI VEDERE UNA COSA!

GUARDA! HO TROVATO LE FIGURINE DI **BILLY BALL** E **CLIVE CORNER**!

GRANDE! HAI QUASI COMPLETATO LA SQUADRA!

A TE QUANTE NE MANCANO PER FINIRE L'ALBUM?

POCHE! UN TERZINO DEL **POLLIPOLI**, UN CENTRAVANTI DELL' **OCOPOLI** E OVVIAMENTE...

...SONNY SOCCER!

215

IL MITICO ATTACCAN- TE DEL PAPEROPOLI! QUELLA FIGURINA E' **RARISSIMA**!

GIA'! CHI LA TROVA, VINCE- RA' UN BI- GLIETTO PER ASSISTERE A UNA SUA PARTITA!

IDEA! PASSERO' ALL' EMPORIO DI PETE PER COM- PRARE UN PAC- CHETTO DI FI- GURINE!

ZZ-ZOOM

VEDIAMO CHI ARRIVA PRIMO, MICROBO IN CANOTTIERA!

SGRUNT! QUE- STA ME LA PAGHI!

TI FACCIO VE- DERE IO, TOM LOVETT!

PUFF, PUFF!

ANF! PANT!

DRUGSTORE PETE

RASSEGNATI, TOM! IL PRIMO A RAGGIUNGERE IL BANCONE...

...SARÒ IO!

URGH! NON VALE! MI STANNO TRATTENENDO!

UN PACCHETTO DI FIGURINE!

SEI FORTUNATO! È L'ULTIMO!

UMPF! QUESTO È DAVVERO TROPPO!

CHE PECCATO! LA **MELANZANA** IN **GONNELLA** È RIMASTO SENZA!

STRAP

ULP! NON È POSSIBILE!

CHE COSA?

217

L'HO TROVATO! È LUI! È SONNY SOCCER!

ANDRÒ ALLO STADIO! LO VEDRÒ GIOCARE! MI FARÀ UN AUTOGRAFO!

NON DIRE NIENTE!

NON PRENDERTELA! A QUALCUNO DOVEVA PUR CAPITARE, NO?

GIÀ... MA QUEL QUALCUNO DOVEVO ESSERE IO!

SAREI ARRIVATO PRIMO, SE NON SI FOSSE INTROMESSA QUESTA CANOTTIERA!

DOMENICA IL PAPEROPOLI GIOCA IN TRASFERTA CONTRO L'OCOPOLI, VERO?

SÌ! CREDI CHE TOM AVRÀ UN POSTO IN TRIBUNA?

NON LO SO, MA SO ESATTAMENTE DOVE STARÒ IO...

"*PASSERÒ LA GIORNATA CHIUSO IN CASA!*"

SONNY SOCCER

SNORT, SGRUNT E PFUI!

EHI, PAPERINO!

TORNA A CASA, LOUIS! HO DETTO CHE OGGI NON ESCO!

COME VUOI... IO, CON QUESTO SOLE, VADO A FARE QUATTRO TIRI!

SENZA TOM IN CIRCOLAZIO-NE, AVRÒ TUTTO IL CAMPET-TO PER ME!

?

PER NOI! PREPARATI A IN-CASSARE I MIEI GOL, POR-TIERE!

EH, EH! SAPEVO CHE NON AVRE-STI RESISTITO...

219

"...AL RICHIAMO DEL **GRANDE CALCIO**!"

GRAZIE PER AVER DECISO DI ACCOMPA-GNARCI, SON-NY!

DOVERE, RAGAZZI! UN PICCOLO IN-FORTUNIO MI HA COSTRETTO A **SAL-TARE** QUESTA GIORNATA DI CAM-PIONATO...

MA NON POTEVO PERDERE LA VITTORIA DEL **PAPEROPOLI JUNIOR**!

EHI! CHE COSA SONO QUELLE FACCE? NON SEMBRATE MOLTO IN FORMA!

COLPA DEL-LA **FESTA DI COMPLEAN-NO** DI JOSH!

C'ERANO TROPPI DOLCI STREPITO-SI! **BURP**!

FORSE ABBIA MO UN PO' ESAGERATO!

BE', ALLORA MI ASPETTO CHE OGGI **ESAGERIA-TE** CON I GOL!

I NOSTRI AVVERSA-RI HANNO L'ARIA AGGUERRITA!

GIÀ! I RAGAZZI DEL **POLLIPOLI JUNIOR** SONO FORTISSIMI!

E IO SONO SICURO CHE VOI NON SIETE DA MENO! INSIEME TERREMO ALTO IL NOME DEL PAPEROPOLI ...

"NIENTE CI POTRÀ FERMARE!"

C'È UN GUASTO AL MOTORE! SIAMO RIMASTI A PIEDI!

UN MOMENTO! NOI DOBBIAMO RAGGIUNGERE LO STADIO DI PAPEROPOLI!

BE', QUI CI VUOLE UN MECCANICO E NON SARÀ FACILE TROVARLO IN MEZZO ALLA CAMPAGNA!

GIONK

TEMO CHE DOVRETE **RINUNCIARE** ALLA PARTITA!

ED ECCO IL GRANDE SONNY SOCCER CHE DRIBBLA UN PAIO DI AVVERSARI ...

UH?

ENTRA IN AREA DI RIGORE E ...

UHM ... FORSE NON È DETTA L'ULTIMA PAROLA!

GOOOOOL!

MITICO SONNY SOCCER! FANTASTICO SONNY SOCCER! FORTISSIMO...

FRUSH FRUSH

...SONNY SOCCER?!

SCUSATE, RAGAZZI! MI SERVE UN FAVORE!

SONO QUI CON LE **SQUADRE** **JUNIOR** DEL PAPEROPOLI E DEL POLLIPOLI! DOVREMMO DISPUTARE UNA PARTITA...

M-MA...

"POSSIAMO USARE IL VOSTRO CAMPETTO?"

NON CI CREDO! ERANO **SECOLI** CHE ASPETTAVO DI INCONTRARLO E ORA NON GLI HO DETTO UNA PAROLA!

BE', MAGARI PIU' TARDI CI FIRMERA' UN AUTOGRAFO!

222

CI PENSI? PER QUEI RAGAZZI E' NORMALE ALLENARSI DAVANTI A LUI!

HO DECISO, LOUIS! ENTRERO' ANCH'IO NEL PAPEROPOLI JUNIOR!

SEI TROPPO PICCOLO! DOVRAI ASPETTARE QUALCHE ANNO!

NON IMPORTA! GIOCHERO' DAVANTI AI PIU' GRANDI CAMPIONI!

"LASCERO' TUTTI A BOCCA APERTA..."

"SARO' L'ORGOGLIO DELLA SQUADRA..."

"...E IL MISTER MI RIEMPIRA' DI COMPLIMENTI!!"

RIALZATI, SFATICATO! PIU' GRINTA IN QUEL PASSAGGIO!

OGGI GIOCANO MALUCCIO, EH?

PUOI DIRLO FORTE! E' UNA FORTUNA CHE IL POLLIPOLI NON ABBIA ANCORA SEGNATO!

223

BURP! ALLENATORE, NON MI SENTO MOLTO BENE...

SGRUNT! LA SQUADRA E' DECIMATA! DOBBIAMO RESISTERE ANCORA QUALCHE MINUTO...

...MA SIAMO RIMASTI SENZA RISERVE!

A DIRE IL VERO, NON MI SEMBRA CHE I TUOI FUTURI COMPAGNI DI SQUADRA SI IMPEGNINO MOLTO!

GIA'! STRANO!

NON HANNO FATTO UN SOLO TIRO IN PORTA!

SCOMMETTO CHE IO SAPREI GIOCARE MEGLIO!

ALLORA E' IL MOMENTO DI DIMOSTRARLO!

PERCHE' NON ENTRI IN CAMPO?

ECCO IL NOSTRO **UOMO MANCANTE**, MISTER!

GASP! NON VORRAI DAVVERO FAR GIOCARE QUEL PICCOLETTO?

NON ABBIAMO NEMMENO **MAGLIE** DELLA SUA TAGLIA!

BE', SE E' SOLO PER QUESTO...

"**E**CCO LA SOLUZIONE!"

EHM...

SIETE SICURO CHE SIA UNA BUONA IDEA? NON HO MAI VISTO **CALCIATORI** IN **CANOTTIERA**!

ORA NON E' PIU' UNA CANOTTIERA, PAPERINO... E' LA MAGLIA DI UN **CAMPIONE** DEL PAPEROPOLI!

FATTI ONORE!

FORZA, PAPERINO!

225

CINQUE MINUTI SONO **LUNGHISSIMI,** QUANDO SEI AL CENTRO DELL'ATTENZIONE...

EH, EH! IL PAPE-ROPOLI E' DAVVE-RO MESSO MALE!

GIA'! ORA MANDA IN CAMPO ANCHE I MICROBI IN CANOTTIERA!

...E STAI PER AF-FRONTARE UNA **VERA SFIDA!**

GUARDATE! FRESCO E SCATTANTE, PAPERINO PRENDE SUBITO POS-SESSO DELLA PALLA...

CHE COSA VI DICE-VO, MISTER?

S-STRAORDINARIO!

SE POI SI TRATTA DI GIOCARE DA-VANTI AL TUO CAMPIONE PRE-FERITO...

SIIIII'!

MITICO!

PERMESSO! FATE-MI PASSARE!

SEI STATO GRANDE, PAPERINO!

HAI TALENTO DA VENDE-RE!

BRAVO!

PER QUESTA VITTORIA MERITA UN REGALO! VERO, LOUIS?

VERISSIMO, SONNY!

AL MIO PIC-COLO AMI-CO PAPERI-NO...

...CHE E' GIA' UN **GRANDE CAMPIONE**! MEGAUAO!

OH, GRAZIE, GRAZIE, GRAZIE!

GRAZIE A TE! HAI SALVATO LA PARTITA!

ANCHE TU MERITI COMPLIMENTI, LOUIS! DA GRANDE SARAI UN PERFETTO CRONISTA!

DEVI GIA' RIPARTIRE?

TEMO DI SI'! MA NON MI DIMENTICHERO' DI QUACK TOWN... UN PAESE DOVE PUOI TROVARE UN MECCANICO ANCHE DI **DOMENICA**!

YU-UUUH!

SONO TORNATO! E VOGLIO PROPRIO VEDERE CHE FACCIA FARETE QUANDO VI RACCONTERO' DELLA PARTIT...

...ΛΛARGH! MA Q-QUELLO E'...

SONNY SOCCER!

CHE COSA VOLEVI RACCON-TARCI?

EHM...AVETE PERSO UNA GRANDE VITTORIA DEL PAPEROPOLI!

E TU QUELLA DEL PAPE-ROPOLI JUNIOR SUL POLLIPOLI!

AH, SI'? E DOVE SI E' SVOLTA LA PARTITONA? SUL CAMPETTO DI QUACK TOWN?

PROPRIO COSI'! C'ERA ANCHE SONNY SOC-CER-

PAPERINO! TOM!

SMETTETE DI LITIGARE! IN FONDO OGNUNO HA AVUTO LA SUA DOMENICA INDIMENTICA-BILE...

...E ABBIAMO UNA SORPRESA PER TE, TOM!

GIA'! UMPF!

"ANCHE SE IO NON ERO D'ACCORDO!"

CHE COOOSA? TI SEI FATTO FARE UN AUTOGRAFO ANCHE PER TOM?

BE', TORNERA' DELUSO PER NON AVERLO VISTO ALLO STADIO!

GIUSTO! ALLORA GLIELO SVENTOLERO' SOTTO IL BECCO E ME LO TERRO' IO!

TU NE HAI GIA' UNO SPECIALE! INOLTRE POTRAI SEMPRE FARE INVIDIA A TOM RACCONTANDOGLI DI QUESTO POMERIGGIO!

COSI' LOUIS MI HA CONVINTO!

A QUEL PUNTO SONNY E' VENUTO DA NOI E...

EHI, PAPERINO!

L'AUTOGRAFO DI SOCCER! L'AUTOGRAFO DI SOCCER!

CHE COSA C'E'? VUOI RACCONTARE TU?

SAREBBE FIATO SPRECATO! NON VEDI CHE NON STA ASCOLTANDO?

BE', ALLORA TORNIAMO A CASA! VUOI UNA FETTA DI TORTA DELLA NONNA?

YUM! E ME LO CHIEDI?

231

"HO GIÀ L'ACQUOLINA IN BOCCA!"

I NOSTRI AVVERSARI ERANO GIGANTESCHI E MINACCIOSI...

CLONK

...MA IO ERO PRONTO AD AFFRONTARLI UNO A UNO PER PORTARE I MIEI UOMINI ALLA VITTORIA!

ADESSO MANGIA, PAPERINO! CI HAI GIÀ RACCONTATO QUESTA STORIA!

EH, EH! CREDO CHE POTREBBE CONTINUARE FINO A SERA...OGNI VOLTA CON NUOVI PARTICOLARI!

MATTINO PRESTO, A QUACK TOWN! DA UNA FATTORIA DI NOSTRA CONOSCENZA GIUNGE LA VOCE DI UN CERTO PAPEROTTO...

NO, NO E POI NO!

NON SE NE PARLA NEANCHE!

AVANTI, PAPERINO! ESCI DA LI'!

E' INUTILE! TANTO NON ME LA TOLGO!

INSOMMA, DOVRO' PUR LAVARLA, PRIMA O POI!

NONNA, NON CAPISCI? SAREBBE UNA TRAGEDIA! UNA CATASTROFE! UN DISASTRO COSMICO!

BE', IO CREDO CHE SAREBBE FINALMENTE... UNA CANOTTIERA PULITA!

Fine

233

La raccolta delle storie più classiche dagli
anni 80 a oggi della grande famiglia Disney

i CLASSICI
DISNEY

OGNI MESE IN EDICOLA!

Le storie che hanno fatto storia!

PAPERINO e la GUERRA del PALLONE

WALT DISNEY

J-994

TRA PAPERINO E IL DIRIMPETTAIO ANACLETO MITRAGLIA NON CORRE **BUON** SANGUE; INFATTI, E' SPESSO SANGUE DI FERITE... *LACERO* CONTUSE...

ALZA LA PALLA, PARGOLO, TI MOSTRERO' COME SI COLPISCE DI TESTA !

237

LO ZIO HA INTENZIONI SERIE!

CI SONO **BENDE E CEROTTI** A SUFFICIENZA?

NO, LA DISCUSSIONE E' **TROPPO ACCESA**!

SBIFF SPIFF

INTANTO...

COSÌ, SIETE LA FIDANZATA DI ANACLETO, IL DIRIMPETTAIO DEL MIO PAPERINO!

MI STO FACENDO BELLA PER LUI, E' UN RAGAZZONE TIMIDO E ROMANTICO!

PROPRIO COME PAPERINO!

PERCHÉ NON ANDIAMO A TROVARLI? FAREMO LORO UNA BELLA IMPROVVISATA!

CHISSÀ SE STANNO PENSANDO A NOI IN QUESTO MOMENTO!

NATURALMENTE!

QUANDO LA PALLA DI ANACLE-TUCCIO FINIRÀ NEL CORTILE DI PAPERINUCCIO, PAPERINUCCIO LA METTERÀ NEL PANIERUC-CIO E LA RIPORTERÀ SORRI-DENDO AD ANACLETUC-CIO!

E ANACLETUCCIO FARÀ LO STESSO CON LA PALLA DI PAPE-RINUCCIO!

ATTENTI A VOI! IL GRAN BALLO È VICINO E UNA NUOVA BARUFFA VI **PRIVERÀ DELLE DAME**!

BEN DETTO!

CIAO!

'IAO!

VISTO COS'HAI COMBINATO? L'APPUNTA-MENTO DI STASERA È SFUMATO!

COS'HAI COMBI-NATO TU! IL MIO APPUNTAMENTO È SALTATO!

ALT!

LA ZIA PAPERINA HA **DICHIARATO LA PACE**!

NOI SIAMO I... **PACIERI**, APPUNTO!

243

NON VALE! TRUFFATORE! SERPENTE!

CALMA, ZIO!

I PATTI SONO CHIARI! LA PALLA VA DEPOSITATA NEL CESTINO E TANTO ANACLETO HA FATTO!

GIÀ, GLUB!

PRIMA AVEVA IL TORCICOLLO E SBAGLIAVA A MIO DANNO! ORA IL TORCICOLLO NON L'HA PIÙ E CENTRA, SEMPRE A MIO DANNO!

LO METTERÒ FUORI COMBATTIMENTO SENZA TOCCARLO! M'È VENUTA UN'IDEUZZA FORMIDABILE!

SCUSATE MA... VOLETE PROPRIO IL DISCO COL GRIDO MATTUTINO DEL GALLO AFGANO?

PROPRIO!

HO SENTITO DIRE CHE IL GALLO AFGANO SVEGLIEREBBE ANCHE UNA MUMMIA! ANACLETO NON AVRÀ PIÙ PACE MATTUTINA!

MUMBLE... MUMBLE!

½ Kg

CHIUDI TU; IO PORTO GIU' LE CESTE!

DARO' UNA SPAZZATINA, PRIMA DI CHIUDERE!

CE NE HAI MESSO DEL TEMPO! TIE', ECCOTI IL VENTINO DI PREMIO!

NON IMPORTA, ZIO, NON IMPORTA!

LUCIDARE LE MONETE E' UN PIACERE PER ME, LO SAI!

BRAVO RAGAZZO! MIGLIORA OGNI GIORNO!

SLAM

ANACLETUCCIO MIO, HO TROVATO PANE PER LA TUA... TESTA!

SPARITO!

PRIMA CHE **RIEMERGA**, CI VORRANNO UN PAIO DI SECOLI! AH, COME RESPIRO!

MA POCHI MINUTI DOPO...

IL VAMPIRO VUOLE IL GIOCO PESANTE, EH?

MI VENDICHERÒ! MI STRAVENDICHERÒ!

IL FUCILE DEL BISNON- NO!

RINUNCERO' A QUALCHE CARTUCCIA PER PREPARARE UN **COLPO SPECIALE**!

BASTA UN PIZZICO DI POLVERE E UNO DI ...

BENE! MAI **CALAMAIO** HA AVUTO FORMA PIU' SPORTIVA!

GULP! SPERO NON SIA **UNA MINA**!

PALLA

NO, E' UNA NORMALE PALLA!

TOMP

QUELL'ANACLETO VUOLE SOLO FARMI TROTTARE! NON HA FANTASIA!

251

CHE FIGURA!

CE LA PAGHERANNO!

QUESTO MESSAGGIO NON RALLEGRERÀ LA LORO PRIMA **GIUSTA** GIORNATA IN GATTABUIA!

INFATTI... SARAI CONTENTO, PACHIDERMA! PAPERINA MI HA **DEFINITIVAMENTE RADIATO** DALLA LISTA DEI SUOI ACCOMPAGNATORI AL GRAN BALLO!

PERCHÈ, COSA CREDI ABBIA FATTO LA MIA RAGAZZA?

W LA LIBERTÀ

COME SI FA A USCIRE DI QUI?

IL VOSTRO... EHM... DELITTO NON È POI TANTO GRAVE! TENETE **BUONA CONDOTTA** E VE LA CAVERETE PRESTO!

QUA LA MANO, ANACLETO!

SE **LA PACE** PUÒ **FORZARE LE SBARRE**, BEN VENGA!

TEMPO DOPO...

CHI SONO QUEI DUE BRAVI RAGAZZI, COSI' COMPITI ED EDUCATI?

ANACLETO E PAPERINO! DUE VERE PERLE!

LIBERATELI, SI SONO REDENTI!

CIAO, CHERUBINI, ARRIVEDERCI A PRESTO!

MACCHE' PRESTO E PRESTO!

ADDIO PER SEMPRE!

ECCO LA STAMBERGA DI MICHELOTTO! HA PRESO LUI **IL MIO POSTO** NELLA LISTA DEL PREFERITO PER IL GRAN BALLO! LO...

FERMO! VUOI GUASTARE ANCORA TUTTO?

DOBBIAMO AGIRE SCIENTIFICA-MENTE, SE VOGLIAMO RIPRENDERE IL **NOSTRO POSTO**!

HO UN PIANO INFALLIBILE... SENTI... BLA BLA E ANCORA BLA!

FORMIDABILE!

TERESINOTTA PROPALERÀ AI QUATTRO VENTI LA NOTIZIA!

ABBANDONATE DAI CAVALIERI AL GRAN BALLO! VORREI FINIRE SOTTOTERRA!

MEGLIO FAR FINIRE SOTTOTERRA I DUE TRADITORI!

LASCIA CHE LI ACCHIAPPI!

SONO **COTTE**! ANDIAMO!

SONO UN **PO'** EMOZIONATO!

NUMI! ANACLETUCCIO!

E PAPERINUCCIO!

CIAO, RAGAZZONI! TUTTI SOLI?

QUI C'È COMPAGNIA!

NON MOSTRARTI TROPPO ENTUSIASTA! DOBBIAMO PERFEZIONARE LA VITTORIA!

NON VORREMMO DISTURBARE... VOI AVETE GIA' I CAVALIERI E POI LE AMICHE CI ASPETTANO!

ASPETTERANNO UN BEL PEZZO, CARUCCIO! TU STAI QUI!

BE', SE INSISTI... **SE PROMETTI OBBEDIENZA**...SE SCACCI GASTONE...

D'ACCORDO, D'ACCORDO'!

♪ TUM TUM

CLIK

CLIK

POCO DOPO...

E'ANDATA ANCHE TROPPO BENE!

SI SARANNO SLEGATI A QUE-ST'ORA!

NIENTE DEBOLEZZE! SIAMO SOCI!

COME VUOI! VA-DA PER IL **GRAN FINALE!**

MOLTO PIÙ TARDI...

PAPERINO E ANACLETO SONO STATI DUE CAVALIERI PERFETTI!

NON HANNO VOLUTO CHE FACESSIMO NEPPURE UN PASSO A PIEDI! PORTERANNO LA MACCHINA PROPRIO QUI!

CHE DIFFERENZA DA QUEI BUZZURRI!

LASCIA CHE LI ACCHIAPPI!

INTANTO...

GIRA, SCIOCCACCIO! GIRA!

TROTTA, ALLOCCO! TROTTA!

SCIOGLILI, SONO COTTI!

CHE RAZZA DI SCHERZO!

NON CAPISCO PIÙ NIENTE!

QUALCHE GIORNO DOPO...

ZIO PAPERINO SI E' TRASFORMATO!

NON E' PIU' RISSOSO! TUTTI LO SALUTANO!

MERITO DELLA PACE CON ANACLETO!

VI VEDO ALLEGRO! VA TUTTO BENE, EH?

ANCORA MEGLIO! HO UNA PENTOLA DI MINESTRONE SUPER SUI FORNELLI!

SLURP! NON VEDO L'ORA CHE SI RAFFREDDI!

CIAFF

PALLAA

AHINOI!

MINESTRONE E... PACE SE NE SONO ANDATI!

GLUB!

FINE

267

271

E ADESSO?

OVVIO! VADO A RIPRENDERMELO!

STAI SCHERZANDO?

TUTTI SANNO CHE COSA C'E' IN QUEL GIARDINO!

"INTERE FAMIGLIE DI MOSTRI MANGIAPALLONI!"

BLLL! BLLL!

TE L'AVEVO DETTO CHE QUELLO ERA TROPPO GOMMOSO!

GNAM!

PFUI! TUTTE STORIE!

SONO D'ACCORDO! TI ACCOMPAGNO!

E COSI'...

S-SUONI TU?

TU SUONI MEGLIO!

NO, S-SUONA TU!

SI', MA LA CHITARRA!

272

NON VORRAI RIPROVARCI?

NO! CHIEDERÒ ALLA **GNORP** UN NUOVO PALLONE!

E INFATTI...

"CARA GNORP, È SUCCESSO UN GUAIO..."

"...RICORDATE IL PALLONE FIRMATO DA COCÒ? L'HO PERSO! POTREI AVERNE UN ALTRO?"

AH! AH! FIGURIAMOCI! QUELLA FIRMA C'È COSTATA MIGLIAIA DI DOLLARI!

GNORP! LE PATAT CHE FANNO CRUNCK

UN MOMENTO! CHI HA SCRITTO QUELLA LETTERA?

UN CERTO **PAPERINO**!

ARGH! LUI!

NON AVETE IDEA DI CHE COSA SIA CAPACE!

274

PER SCUSARCI, CI E' TOCCATO FARGLI FARE UN GIRO SULL'AE-REO DEL PRESIDENTE!

UAO! ANCORA UNA VOLTA, PRESIDENTE!

NO! QUESTO ERA L'ULTIMO!

COME SAREBBE "NO"? DEVO RIPRENDERE LA PROTESTA?

E VA BENE, ECCO UN ALTRO LOOP!

ROOOOOOOOOR

GASP! STATE PAR-LANDO DI QUEL PAPEROTTO?

PURTROPPO SI'! UN'ALTRA VOLTA VIN-SE UN CASCO GALAT-TICO A PILE...

...MA NON HA IL TRADUTTORE IN-TERGALATTICO IN-CORPORATO!

EHM...PERO' LE PILE CI SONO!

CASCO GALATTICO

VOGLIO IL TRADUTTORE! L'AVEVATE PROMESSO!

NIENTE DA FARE! E TI AVVISO CHE L'AEREO E' IN RIPARAZIONE!

PER PROTESTA, MISE GOMME DA MASTICARE (MASTICATE) DAPPERTUTTO!

"ANCHE SULLE SEDIE DEL CONSIGLIO DI AMMINISTRAZIONE!"

PUAH!

IN FONDO, IL RAGAZZO HA RAGIONE!

PROVVEDETE IMMEDIATAMENTE!

"COSÌ, PER AMMANSIRLO, LO PORTAMMO IN GITA ALLA BASE SPAZIALE CAPE CARNIVAL!"

VOGLIO FARE UN GIRO SU QUELLO!

EHM... NON CREDO CHE MI NOLEGGERANNO IL RAZZO...

CAPE CARNIVAL

ECCO PERCHÉ CI SONO I LORO AUTOGRAFI AL BAR DELLA SPIAGGIA!

MA QUANDO ERI PICCOLO, C'ERA GIÀ IL FASTIDIOSO MURO DI RAOUL?

BAY WATCH

SÌ, PURTROPPO!

"QUANTI PALLONI ABBIAMO PERSO LÀ DIETRO!"

OH, NO! DI NUOVO!

RAGAZZACCI!

TOMP

MA SE LA SOLFA NON È CAMBIATA IN TUTTI QUESTI ANNI...

...È GIUNTO IL MOMENTO DI AGIRE! ANDIAMO!

GRANDE, COCÒ!

280

281

E' UN MUSEO! TI RICORDI DI QUESTO?

IL MIO PRIMO PALLONE! SIGH...

E QUI C'E' ANCHE UNA SCARPA! GIA' ALLORA TIRAVI **FORTE**!

EH, EH!

NATURALMENTE VI HO SEGUITI IN TELEVISIONE PER TANTI ANNI...

CHI L'AVREBBE DETTO! RAOUL HA UN CUORE TENERO!

PER NIENTE! CONTINUO A ESSERE STUFO DI VOI RAGAZZACCI!

UFF...

COMUNQUE, QUEST'ULTIMO FIRMATO DA TE **CHIUDE** LA COLLEZIONE! ORA POSSO FINALMENTE...

...APRIRE IL MIO MUSEO AL PUBBLICO! A PAGAMENTO, NATURALMENTE!

TSK!

E CON IL RICAVATO, FARÒ COSTRUIRE UN VERO CAMPO DI CALCIO...

...MOLTO LONTANO DAL MIO MURO!

CUORE TENERISSIMO!

GIÀ, GIÀ!

QUALCHE TEMPO DOPO...

SONO PROPRIO CURIOSO DI VEDERLO!

ANCH'IO! SAPETE, RAOUL HA SBORSATO ANCHE DI TASCA SUA!

E ALLA GRANDE!

PER MILLE PALLONETTI!

284

MA NON TUTTI SONO ALLO STADIO...

BUMP

QUALCUNO E' RIMASTO IN SPIAGGIA...

BUMP

OPS!

BUMP

QUALCUNO CHE NON SA...

!

GNEEEEK

...CHE LE COSE SONO CAMBIATE!

TIENI, CAMPIONE!

GRAZIE, SIGNORE!

Fine

PICO DE PAPERIS

ASTUTO CONSIGLIERE

HOT DOG DA JOE'

WALT DISNEY

UN HAMBURGER CON CIPOLLA E SENAPE, JOE!

HAMBURGER 2 $

B-2543-2

UHM... C'E' POCA SENAPE!

TI DIRO' IO QUAL E' IL QUANTITATIVO OTTIMALE! SONO LAUREATO IN RIPIENI E IMBOTTITURE!

HAMBURGER 2 $

E' IL MIO CALCIATORE PREFERITO! CI TERREI TANTISSIMO A INCONTRARLO!

VORREI FARMI SCATTARE UNA FOTO CON LUI DA MOSTRARE AGLI AMICI DEL CLUB DEL PAPEROPOLI!

PURTROPPO I VIP SONO SEMPRE INAVVICINABILI!

UHM... E' VERO!

BAH! MEGLIO NON PENSARCI PIU'! ANDRO' AL CLUB E...

ASPETTA, PAPERINO!

IO POSSO AIUTARTI A REALIZZARE IL TUO SOGNO DI TIFOSO!

DICI DAVVERO?

PUOI SMETTERE DI REMARE, PAPERINO!

PANT! ERA ORA!

COME PROCEDIAMO?

TI TUFFERAI IN MARE E, GIUNTO NEI PRESSI DELLO YACHT...

"...FINGERAI DI AVERE UN CRAMPO!"

GURGLE! AIUTOOO!

GASP! QUEL PAPERO E' IN DIFFICOLTA'!

CALATE LA SCIALUPPA, SVELTI! ANDIAMO A SOCCORRERLO!

291

CORAGGIO, AMICO! DATEMI LA MANO!

ANF! ANF!

EH, EH! IL PIANO DI PICO FUNZIONA! ORA MI PORTERANNO A BORDO, COSI' INCONTRERO' ALEX!

GULP! MA... NON ANDIAMO ALLO YACHT!

INFATTI, VI RIPORTO A TERRA

GLAB!

MA IO DEVO ANDARE SULLO YACHT! ALEX DEL PAPERO E' LI' E...

UHM...

IL CRAMPO ERA UNA FINZIONE, EH?

UHM... E' VERO!

VORREI INCONTRARE DEL PAPERO! SONO UN SUO TIFOSIS- SIMO FAN...

NON E' POSSIBILE! NON E' SULLO YACHT!

ULP!

ALLORA, COM'E' ANDATA?

SOB! ALEX NON E' A BORDO!

ME L'HA DETTO IL CAPITANO E...

TSK! E' IL SOLITO PRETESTO PER NON LASCIARTELO INCONTRARE!

MA PROPRIO NEGANDO CI HA CONFERMATO CHE IL TUO IDOLO E' SULLO YACHT!

?!

COMUNQUE SIA, TE LO DICEVO CHE E' INAVVICINABILE!

TORNERO' DAGLI AMICI DEL CLUB E...

FERMO!

NON DEVI ARRENDERTI COSI' FACILMENTE! LA FORTUNA PREMIA GLI AUDACI!

GIA', MA IO SONO SFORTUNATISSIMO!

NON SEMPRE! OGGI, PER ESEMPIO, HAI AVUTO LA FORTUNA DI INCONTRARE ME!

!

"HO GIÀ ELABORATO UN NUOVO *PIANO D'AZIONE!*"

?

EHI! DI BORDO!

HO UNA CONSEGNA PER VOI!

UN PALLONE GIGANTE? E CHI LO MANDA?

E' UN REGALO DEI TIFOSI DEL PAPEROPOLI!

BAH! CHE REGALO BISLACCO!

GRAT GRAT

295

PORTATELO A BORDO!

EH, EH! IL MIO PIANO HA FUNZIONATO!

PANT!

PUFF!

NON POSSONO CERTO IMMAGINARE CHE...

"... NEL PALLONE E' NASCOSTO PAPERINO!"

CE L'HO FATTA! SONO SULLO YACHT!

NON SENTO PIÙ VO-CI! POSSO USCI-RE E RAGGIUNGERE ALEX!

SGURGLE! MA... SONO NEL RIPOSTIGLIO!

MI HANNO CHIUSO DENTRO!

CRANG CRANG

FATEMI USCIREEE!

GULP!

BUMP BUMP

UMPF! ANCORA VOI?

VORREI VEDERE DEL PAPERO E...

SGRUNT! VI HO GIÀ DETTO CHE NON C'È!

...DEL PAPE-RO NON POTRA' FARE A MENO DI ACCOGLIERTI CON GRANDE SIMPATIA...

CI SIAMO! LANCIATI!

EHM... HO UN PO' DI PAURA, PICO!

UMPF! NON VUOI PIU' TROVARTI ACCANTO AL TUO CAMPIONE?

SI'! MA NON VORREI TROVAR-MI NEI GUAI!

SGRUNT!

NON C'E' TEMPO DA PER-DERE! RISCHIA-MO DI ATTIRARE L'ATTENZIO-NE!

IN QUESTI CASI, PER VINCERE LA PAURA, CI VUOLE UNA SPINTARELLA D'INCORAGGIAMENTO!

AAAH!

SOB! NON VOGLIO VEDERE!

ANDRA' TUTTO BENE! SONO LAUREATO IN LANCI E BILANCI!

SULLO YACHT...

COMINCIA A RINFRESCARE! MI METTERO' QUALCOSA ADDOSSO!

STUND

GRRR! ANCORA VOI?

SIETE UNA VERA PERSECUZIONE! COSA DEVO FARE PER SBARAZZARMI DI VOI?

LASCIATEMI INCONTRARE DEL PAPERO!

MA COME VE LO DEVO DIRE? NON È A BORDO!

STORIE!

SCOMMETTO CHE È NELLA SUA CABINA!

AH, SÌ?

ALLORA, ANDATE... CERCATELO PURE!

FINALMENTE!

ECCO LA SUA CABINA!

CIAO, ALE... ULP! È VUOTA!

VE L'AVEVO DETTO!

MUMBLE...

SI SARA' NASCOSTO ALTROVE! CERCHERO' DAPPERTUTTO!

MA...

SOB! NON C'E' PROPRIO!

FINALMENTE VI SIETE CONVINTO!

MA ALLORA CHE COSA CI FA QUI IL SUO YACHT?

LO ASPETTAVAMO! PERO', NON SI E' VISTO E...

BUMP

OH, SIGNOR DEL PAPERO!

SGURGLE!

AH, CAPISCO! D'ACCORDO!

FATEMELO SALUTARE!

IL SIGNOR DEL PAPERO HA CAMBIATO I SUOI PROGRAMMI! E' GIÀ IN VOLO PER I TROPICI!

UACK!

NON VERRÀ PIÙ SULLO YACHT! PERÒ, PRIMA DI PARTIRE...

... HA FATTO UNA SORPRESA AI SUOI TIFOSI PASSANDO A SALUTARLI AL CLUB DEL PAPEROPOLI!

SBONK

POCO DOPO...

SEI RIMASTO A LUNGO SULLO YACHT! BUON SEGNO!

FINALMENTE HAI INCONTRATO DEL PAPERO, VERO?

GRRR! NO!

MA LO AVREI INCONTRATO SE FOSSI TORNATO AL CLUB COME VOLEVO FARE FIN DALL'INIZIO!

ULP!

HO PERSO UN'OCCASIONE UNICA! E TUTTO PER COLPA TUA!

AAAH!

TEMPO DOPO, AL POLO NORD...

DAMMI ASCOLTO, AMICO! CONOSCO IL MODO MIGLIORE PER PRENDERE PARECCHI PESCI! I MIEI **CONSIGLI** FUNZIONANO SEMPRE!

?!

BE', QUASI!

SI STANNO FORSE TRATTANDO ARGOMENTI GASTRONOMICI NEL DEPOSITO DEL PAPERO PIU' RICCO DEL MONDO? UHM... VEDIAMO!

TU NON SAI DI CHE **PASTA** SON FATTO IO!

AUFFA! CHE **PIZZA**!

NON HAI NIENTE DI PIU' IMPORTANTE DA FARMI FARE CHE PULIRE PAVIMENTI E LUSTRAR MONETE?

SI'! SE SUONA IL TELEFONO, RISPONDI! IO HO DA FARE!

HO UN PROBLEMA URGENTE DA RISOLVERE E HO BISOGNO DI CONCENTRAZIONE!

CIOE'?

ASPETTO DUE RICCHI CLIENTI! VORREI COMPRARE ALCUNI LORO TERRENI E PERCIO'...

...VORREI INGRAZIARMELI, PERCHE' LI CEDANO A ME, MAGARI A BUON PREZZO!

E COME SONO QUESTI TIPI?

UNO E' ALTO COSI' E... MA CHE C'ENTRA QUESTO?

MA NO! INTENDO DIRE... INSOMMA, HANNO UN PUNTO DEBOLE?

BE', COME TUTTI I MILIARDARI AMANO IL DENARO E...

BAH, NON SI VIVE DI **SOLO** PANE! NON HANNO PASSIONI, HOBBY...

A UNO PIACE IL CALCIO... E' TIFOSO DELLA PAPEROPOLESE!

PERFETTO! E' FATTA!

COSA VUOI DIRE?

ANCH'IO SONO TIFOSO DELLA PAPEROPOLESE! TU MI ASSUMI COME **PR**,* E ME LO CUOCIO IO!

*ESPERTO DI **PUB-BLICHE RELAZIONI***

LO FACCIO DIVERTIRE TUTTO IL GIORNO E POI LO SERVO PRONTO ALLA FIRMA!

TU, **PR**? LA MIA RISPOSTA E'...

PERCHE' NO? SE VA BENE CON LUI, MI ASSUMERAI! OKAY?

...PRRRRRR

TI PREGO, **ZIUCCIO**! DAMMI QUESTA POSSIBILITA'! BUUUH!

GASP! ATTACCA LA LAGNA!

309

QUALCHE LITRO DI LACRIME DOPO...

SOB! SIGH!

BASTA! VA BENE! HAI L'INCARICO! MI STAI BAGNANDO L'AMATA CARTA!

DOMANI ANDRAI ALL'HOTEL RITZ A RICEVERE O'DOLLAR! E GIÀ CHE CI SEI, VAI ANCHE ALL'HOTEL ROYAL...

SÌ, ZIO!

...A PRENDERE MISTER RIKKIS! O'DOLLAR È IL TIFOSO, RIKKIS... NON SO! SCOPRI TU I SUOI INTERESSI!

PROPRIO DOMENICA C'È IL DERBY PAPEROPOLESE-TOPOLINIA!

PORTERÒ O'DOLLAR ALLO STADIO E POI A CENA...

EHI! MI HAI PRESO PER RICCO? NON ESAGERARE!

PATTI CHIARI! IO LI CUOCIO, MA TU METTI IL... FUOCO! SGANCIA!

ARGH! QUEL VERBO È UNA FITTA AL CUORE!

E SIA! ATTENTO, PERO'! SE COMBINI QUALCHE GUAIO, TE NE PENTIRAI!

FIDATI! HAI GIA' I CONTRATTI IN TASCA!

SEMBRA MOLTO SICURO DI SE'! SPE- RIAMO!

LA', LA'!

IL GIORNO DOPO...

RITZ

HOTEL

ECCO L'HOTEL DI O'DOLLAR!

LO FARO' DIVERTIRE! UN PRANZETTO, DUE CHIACCHIERE SUL CALCIO...

POTETE AVVISA- RE IL SIGNOR O'DOLLAR DEL MIO ARRIVO?

E' QUELLO COL CAPPELLONE ALLA TEXANA!

OH, GRAZIE!

SO IO COME RENDERMELO **SUBITO** AMICO! EH, EH!

CHI NON SALTA E' DEL TOPOLINIA! UEH! UEH! ♫

GULP!

VUOI SVEGLIARMI TUTTO L'HOTEL?

COFF!

CLAK

FUORI DI QUI!

LASCIATE ANDARE QUEL PAPERO, DIRETTORE! E' UN MIO **AMICO**!

AI VOSTRI ORDINI!

GRAZIE! IO SONO...

...PAPERINO! LO SO! TUO ZIO MI HA GIÀ AVVISATO!

MA NON MI HA DETTO CHE SEI UN TIFOSO DELLA PAPEROPOLESE!

TIFOSO? SONO IL Nº1 DELLA CURVA SUD, IO!

UAO! SEI FORTE, AMICO!

CHE NE DITE DI FARE DUE CHIACCHIERE A PRANZO SUI NOSTRI CAMPIONI?

OKAY, COMPARE! MOSTRAMI IL TUO **PAESINO**! POI MANGEREMO ALLA TEXANA!

PAPERINO BEN PRESTO SI GUADAGNA LA STIMA DI O'DOLLAR...

E VI RICORDATE QUANDO **BULLITT** SPARÒ QUEL RIGORE?

KICK

FINCHE', A PRANZO...

CHE NE DICI DI VEDERE INSIEME IL DERBY PAPE-ROPOLIESE-TOPOLINIA?

STAVO PER PRO-PORVELO IO! AC-CETTO CON PIACERE!

GLIENE DAREMO ALMENO TRE A QUEGLI SCOPPIATI!

MI PIACI, PAPERO!

ANCHE TUO ZIO DI SICURO SARA' MOLTO SIMPA-TICO, EH?

OHI!

PACK

CIONF

PIU' TARDI...

CIAO, PAPERINO! DI'A TUO ZIO CHE DOPO IL DERBY VERRO' A FIRMA-RE IL CONTRATTO!

A PRESTO!

EH, EH! E' FATTA! SONO NATO PER QUESTO LA-LORO! ALTRO CHE LUCI-DARE MONETE!

E DOMANI MI **CUCINERÒ** ANCHE MISTER RIKKIS!

È IL MOMENTO DI DARE LE BUONE NUOVE ALLO ZIONE!

UN MINUTO DOPO...

EH, EH! GONGOLAVA, A DIR POCO!

L'INDOMANI...

I COLLEGHI DELLO ZIO SI TRATTANO BENE, EH?

PER FAVORE, ANNUNCIATE-MI A MISTER RIKKIS!

E' ALLE VOSTRE SPALLE!

ECCOMI, PAPERO!

COS... HUH?

ZIP

PLONF

OTTIMI RIFLESSI! PORTIERE?

EHM...A VOLTE!

VIENI! E' ORA DEL MIO ALLENAMEN-TO AL PARCO!

OH!

EHM...MI PAR DI CAPIRE CHE VI PIACE IL CALCIO!

ECCOME! E' DAL-LA NASCITA CHE TENGO AL TOPOLINIA!

BEATI VOI CHE AVETE IL CAL-CIO IN CASA! NEL MIO PAE-SINO E' UNA NOIA!

DEVO STARE ATTENTO A NON TRADIRE LA MIA FEDE!

316

MA PROPRIO UN TIFOSO DI QUELLE **SCHIAPPE** DOVEVA CAPITARMI?

HAI DETTO QUALCOSA?

EHM...SI'! AMMIRAVO LA VOSTRA **SPLENDIDA** MAGLIA!

BRAVO!

CAMPI

SEI ANCHE TU DEI NOSTRI, VERO?

EH, COME NO!

SIGH! COSTRETTO A MENTIRE PER SALVARE IL LAVORO!

E COSI' LA GIORNATA PASSA FRA PARATE, TIRI E... *BUGIE!*

IMPOSSIBILE PARARE LE **CANNONATE** DI *LOTTO PIETRUS!*

SBEM

ZOOM

ED ECCO UNA GRANDE PARATA DI **WALTER TENGA!**

PAK

BRAVO!

UN WALTER TENGA, C'E' SOLO UN WALTER TENGA...♪♫

CHE SIMPATI-CONE!

MI HAI FATTO PASSA-RE UNA BELLA GIORNATA, SAI?

MOLTO GENTILE!

TUO ZIO SARA' DI **SICURO** DELLA STESSA PASTA! SARA' UN PIACE-RE TRATTARE CON LUI!

OH, SI'! MIO ZIO E' PROPRIO UN **SIMPATICONE!**

LUNEDI' VERRO' A FIRMA-RE IL CONTRATTO! DOME-NICA, PERO', VISTA LA **PASSIONE** CHE CI AC-COMUNA, VORREI POR-TARTI AL DERBY!

UACK! E ORA CHE GLI DICO A QUESTO?

DOVREI TROVARE UNA SCU...

NON VORRAI MICA **OFFEN-DERMI** CON UN RIFIUTO, EH?

MA NO! CHE DITE? FIGURIAMOCI SE **POSSO** RIFIUTARE!

BENE! ALLO STADIO ALLE DUE, ALLORA! CIAO!

BIP

BIP

BOP

A CASA...

SIGH! E ORA CHE FACCIO? DOVREI SCONTENTARE UNO DEI DUE! MA CHI?

DRIIIN

CHI DISTURBA IL MIO DOLORE?

ALLORA, COM'E' ANDATA CON RIKKIS?

AH, SEI TU, ZIO! EHM...TUTTO BE-NE! STA' TRAN-QUILLO!

$

LUNEDI' VERRÀ ANCHE LUI A FIRMARE!

BRAVO! HAI FATTO UN BUON LAVO-RO! A PRESTO, DUNQUE!

BUUUH! SONO NEI GUAI FINO AL COLLO! LO ZIO MI SMONTERÀ SE NON FIRMANO I CONTRATTI!

UN'IDEA! CI VUOLE UN'IDEA!

BONK BONK

EHI! LA CAPOCCIATA È SERVITA! HO UN'IDEA!

E COSÌ, IL GIORNO DEL DERBY...

LA GENTE COMINCIA AD ANDARE ALLO STADIO! VADO ANCH'IO!

ALLE 13,30 DEVO VEDERE O'DOLLAR, ALLE 14,00 RIKKIS!

INGRESSO

← INGRESSO

ORE 13.30...

SALVE! ECCOMI PUNTUALE!

CIAO, PAPERINO! HO GIÀ I BIGLIETTI PER LA CURVA SUD! VIENI!

BIGLIETTI! POPOLARIIII, DISTINTIIII!

FRA UN'ORA COMINCIA LA PARTITA!

VISTO CHE ABBIAMO TEMPO, VADO A COMPRARE QUALCOSA DA MANGIARE!

TORNO SUBITO!

MA...

ZIP

PERMESSO, PERMESSO! UFF, PUFF...

EHI! GUARDA DOVE VAI!

ORE 14.00, IN UN ANGOLINO...

PUFF...CAPPELLO DOUBLE-FACE...SOTTO CI SONO I COLORI DEL PAPEROPOLI...

POP

321

EH, EH! ANCHE LA BANDIERINA E' BIVALENTE!

PUFF! PANT! E QUALCUNO DICE CHE GLI SPETTATORI SONO SEDENTARI!

SU, PAPERINO! MANCA MEZZ'ORA ALLA PARTITA!

SO-SONO QUI! PANT!

SEI CONTENTO? FRA POCO POTREMO GRIDARE NELLA NORD!

EEH... COME NO!

SU, CANTA CON ME!

OH MAMMA MAMMA MAMMA, SAI PERCHE' MI BATTE IL CORAZÒN?

HO VISTO IL TOPOLINIA...

...E INNAMORATO SON! (SOB!)

322

PRESO POSTO IN CURVA NORD...

DEVO TORNARE IN CURVA SUD, O'DOLLAR SARÀ FURENTE!

M'E' VENUTA FAME! VADO A COMPRARE UN PANINO!

TORNA PRESTO! STANNO PER COMINCIARE!

AAAGH! IL PIEDE!

EHM...SCUSATE! HO FRETTA!

OHI!

MA ARRIVATO AL CANCELLO DIVISORIO DELLE CURVE...

HO GIÀ CAMBIA-TO... COLORE, ORA ENTRO E...

CURVA SUD

BIGLIETTO, PREGO!

ECCOLO!

QUESTO E' PER LA CURVA **NORD**! SE VUOI ENTRARE QUI, DEVI RIPAGARE IL BIGLIETTO!

UACK! NON MI SEMBRA GIUSTO! DA QUANDO E' COSI'?

DA QUANDO DE' PAPERONI E' DIVENTATO SOCIO AZIONISTA NELLA GESTIONE DELLO STADIO!

UMPF!

E COSI'...

PUAH! 20 DOLLARI!

OH, FINALMENTE! MA DOVE SEI STATO?

EHM...VOLEVO UN PANINO AL FORMAGGIO E NON LO TROVAVO!

ECCO! STANNO PER DARE IL CALCIO D'INIZIO!

BUONA FORTUNA E CHE VINCA IL MIGLIORE! CIOE' NOI!

DOPO POCHI MINUTI...

OOOH! CHE GOL MANCATO!

PUAH! HANNO SOLO **FORTUNA**, QUELLI DEL TOPOLINIA!

DEVO TORNARE DA RIKKIS, O SI INSOSPETTIRÀ!

TORNO SUBITO!

ANCORA? MA...

PUFF! PANT! E SIAMO APPENA AL **5°** MINUTO!

ULP! QUASI DIMENTICAVO IL **CAMBIO**!

ANCORA TU? MA E' POSSIBILE CHE NON TROVI UN POSTO PER VEDERTI LA PARTITA?

PUFF! FATEMI PASSARE!

SICURO! BIGLIETTO, PREGO!

MA...MA SONO APPENA VENUTO DALLA SUD!

NIENTE BIGLIETTO, NIENTE INGRESSO!

SGRUNT! ECCOLO QUI IL... UH?

UACK! QUESTO E' PER LA SUD! E L'ALTRO?

GIÀ! E L'ALTRO?

...3-4-5...

GRRR...ALTRI 20 DOLLARI!

RVA SU

PERMES- SO! PER- MESSO!

EHI, COMPARE! PERCHE' NON STAI BUONO?

COMPARE A CHI? M'HAI PRESO PER UNO DEL TOPOLINIA?

PERCHE'? NON LO SEI?

GURGLE! **CERTO** CHE LO SONO! NON VEDI IL CAPPELLO E LA BANDIERA?

TIENI! TI AIUTO A TROVARE POSTO!

GULP!

ZIP

BOROM

OH, ECCOTI! HAI TROVATO IL PANINO?

FORZA TOPOLINIA!

AHIA! SI'! GRAZIE!

PIETRUS E' DI FRONTE ALLA PORTA AVVERSARIA!

TOPOLINIA

NOOO!

BEM

SWSS

GOL! PIETRUS HA FATTO GOL!

GIÀ! BAH!

NON ESULTI? SIAMO IN VANTAGGIO!

OH, SÌ! ESULTO! ESULTO!

ANZI, BISOGNA BERCI SU! VADO A PRENDERE UNA ARANCIATA!

QUESTA PARTITA ME LA RICORDERÒ! OH, SE LA RICORDERÒ!

AH, ECCOTI QUA! LO SAI CHE STIAMO PERDENDO?

'GASP! SÌ'... E ANCH'IO STO PERDENDO... CHILI PERÒ'!

BULLITT SI LIBERA DI UN AVVERSARIO...

EH, EH!

"...E PAREGGIA PER LA PAPEROPOLESE!"

SBEM

BOP

FLASH

GOL!

DOBBIAMO FESTEGGIARE! VADO A PRENDERE DA BERE!

EHI! MA...

ECCO IL BIGLIETTO! HO FRETTA!

HANNO PA...REGGIA...TO! NON BEVIAMO... PIÙ, EH?

DIREI DI NO!

MA...CHE CAP-PELLINO HAI? E LA BANDIERA?

UH-OH!

POVERO ME! HO DIMEN-TICATO DI RIVOLTARE CAPPELLO E BANDIERA!

NO! FERMO!

SGRUNT!

POF

CIAK

EHI! DENTRO CI SONO I NOSTRI COLORI!

COS'E' QUESTA STORIA?

IO PENSO DI CA-PIRE! FAI IL **DOPPIO GIOCO**! NON SEI DEL TOPOLINIA!

MA CHE DITE? IO...

UNO DEL PA-PEROPOLI NON PORTA **ALTRI** COLORI!

MA NO! IO...IO...

AH, FUGGE! DUNQUE MI STAVA PREN-DENDO IN GIRO!

ZIP

PRESTO! APRI! HO TUTTA LA NORD ALLE CALCAGNA!

EHI! MA...

PERCHE' IL CONTROLLORE DEI BIGLIETTI E' DUBBIOSO? GUARDATE QUESTO REPLAY...

...E CAPIRETE! PAPERINO SBAGLIA DI NUOVO I COLORI!

COSI'...

FORZA!

RIECCOMI! PUFF! PANT!

CHE PARTITA AVVINCEN... UH?

CHE C'È?

CHE MI RAPPRESENTANO QUEI COLORACCI?

OH, NO! DI NUOVO!

VILE! ORA MI SPIEGO LE TUE SPARIZIONI! ANDAVI ALLA NORD E QUI STAVI SOLO PER COMPIACERMI!

NO...NO...IO...IO..., VI POSSO SPIEGARE...

IO SPIEGO TE...MA AL VENTO!

UACK AL QUADRATO!

SKREEEKK

332

W TOPOLO-POLI!

ADDIO, PAPE-RONE! E TANTI PFUI AI TUOI CONTRATTI!

BATTISTA, CREDO DI AVER BISOGNO UN PO' DI AIUTO!

MA COS'E' SUCCESSO?

NON LO SO DI PRECISO MA **SO** DI **CHI** E' LA COLPA!

E COSÌ...

IL **PR** VOLEVA FARE LUI! AAAH! LUCIDERAI MONETE FINCHE' CE NE SARANNO AL MONDO! E ANCHE DOPO!

SIGH!

200 KG

ZIO PAPERONE E LA PREZIOSA PALLA DI CAUCCIÙ

Walt Disney

NEL POLVEROSO SOLAIO DEL DEPOSITO DI PAPERON DE' PAPERONI...

SGRUNT! QUANDO LO ZIO CI HA CHIESTO DI DARE UNA RIPULITA A QUESTO POSTO...

...NON AVEVA PARLATO DI TUTTA QUESTA POLVERE!

15-2570-1

338

"UN GIORNO, MENTRE ESPLO-RAVA LA GIUNGLA SUDAMERICANA..."

"...SI IMBATTÈ IN UN'AMICHEVOLE TRIBÙ INDIGENA!"

"IN SUO ONORE, I LOCALI DISPUTARONO UN'AVVINCENTE... PARTITA, CON UNA GROSSA PALLA DI CAUCCIÙ!"

"POI REGALARONO LA PALLA PROPRIO A PAPERONES!"

INTERESSANTE! CONTINUA A LEGGERE!

"COLPITO DALLA BELLEZZA DI QUEL GIOCO, PAULINHO PAPERONES LO INTEGRÒ... CON *NUOVE REGOLE!*"

"PER NON DIMENTICARSELE, LE ANNOTÒ SUL PALLONE STESSO..."

...CHE POI DECISE DI **CONSERVARE** COME RICORDO DI QUELLA AVVENTURA!

ULP! UNA STORIA DAVVERO SINGOLARE!

E QUELLE REGOLE SONO RIPORTATE ANCHE SUL DIARIO?

PURTROPPO NO, FRATELLI!

DA QUESTE SOMMARIE INDICAZIONI, PERÒ, SONO PRONTO A SCOMMETTERE...

"... CHE SI TRATTA PROPRIO DELLE REGOLE DELL'ODIERNO GIOCO DEL CALCIO!

! ?

340

NON NE HO IDEA! LA RIVELERÀ TRA POCO NEL CORSO DI UNA **CONFEREN-ZA STAMPA**!

STAVO GIUSTO PER ANDARCI! VO-LETE VENIRE CON ME?

PERCHÈ NO? ADESSO SIA-MO CURIOSI ANCHE NOI!

*P*OCO DOPO...

QUANTA GENTE!

PER LA MAGGIOR PARTE SONO **GIOR-**NALISTI!

SALVE A TUTTI, E GRAZIE PER ESSERE INTERVENUTI COSÌ NUMEROSI!

VI ASSICURO CHE NON RE-STERETE DELUSI! HO PER VOI UNA NOTIZIA **SEN-SAZIONALE**!

SI TRATTA DI UN **MIO ANTENATO** INGLESE, IL PROFESSOR **ROCKY DUCK**!

VRRRR

FLASH FLASH

ERA INSEGNANTE DI GINNASTICA IN UN **COLLEGE**, INTORNO ALLA METÀ DELL'**OTTOCENTO**!

ED È STATO **LUI** A CREARE IL GIOCO DEL CALCIO, SCRIVENDONE LE REGOLE!

I DOCUMENTI CHE SERVONO A **PROVARLO** SONO A VOSTRA DISPOSIZIONE!

CHE COSA INTENDETE FARE A QUESTO PUNTO?

FARO' **VALERE** LE MIE PREROGATIVE!

VOLETE DIRE CHE PER DIRITTO **ERE**DITARIO...

...LA TRASMIS-SIONE DEL CAMPIONATO PAPEROPOLESE **SPETTA** ALLE VOSTRE RE-TI TELEVI-SIVE?

ESATTAMENTE! MA NON E' TUTTO!

INTENDO ACCAMPARE PRETESE SU **TUTTO IL CALCIO MON**-DIALE!

GULP!

GASP!

COSA CHE FARA' DI ME, CERTAMENTE, IL PAPERO PIU' **RICCO** DEL MONDO!

PRESTO, NON C'E' TEMPO DA PERDERE!

DOBBIAMO **DIFFONDERE** LA NOTIZIA!

A ME UNA REDAZIONE!

A ME UN COMPUTER!

PISTAAA!

ULP! AIUTATEMI A RIANIMARE LO ZIO, RAGAZZI!

PER FORTUNA AVEVAMO CON NOI UNA BOCCETTA DI EFFLUVI MONETARI!

SNIFF!

NIPOTI, E' UNA CATASTROFE!

E ADESSO?

DOBBIAMO FARE SUBITO QUALCOSA O ROCKERDUCK TRIONFERA' SU TUTTA LA LINEA!

351

ALLORA E' DECISO! **PARTIREMO** SUBITO PER L'EUROPA E SEGUIREMO LE ORME DI PAULINHO!

PERCHÈ PARLI AL **PLURALE?** IO CHE COSA CI GUADAGNO?

UNA **SFORBICIATA** DI DIECI CENTIMETRI ALLA TUA LISTA DEI DEBITI!

NON SE NE PARLA PER MENO DI **OTTANTA** CENTIMETRI!

QUINDICI!

VENTI!

SETTANTA!

SESSANTA!

PUFF... **QUARANTA** CENTIMETRI! E' LA MIA ULTIMA OFFERTA!

VADA PER QUARANTA! PARTIAMO, ADESSO! PANT...

E COSI' IL JET DI PAPERON DE' PAPERONI DECOLLA ALLA VOLTA DEL VECCHIO CONTINENTE!

PRIMA TAPPA, LONDRA...

352

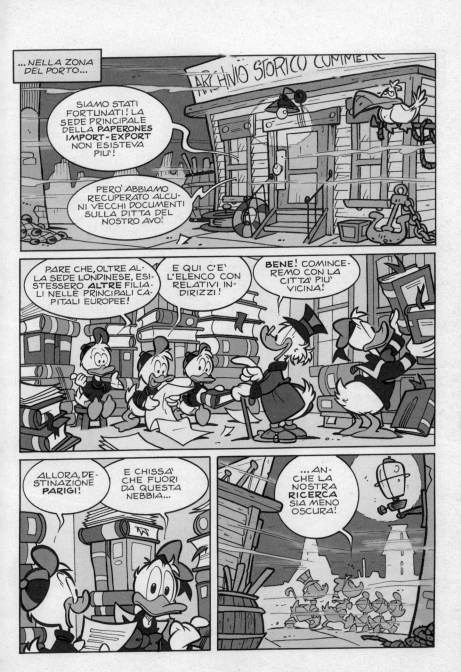

353

354

SE NON INTERVENIAMO, ROCKERDUCK SFRUTTERÀ IL CALCIO PER ARRICCHIRSI A DISMISURA!

NON MI CI FATE PENSARE, RAGAZZI...

"GIÀ MI IMMAGINO COSA PUÒ RISERVARMI IL FUTURO!"

LA FINALE DI COPPA DEI CAMPIONISSIMI È GENTILMENTE OFFERTA DA ROCKERDUCK, CHE VI RICORDA I SUOI PRODOTTI!

TOH... I MIEI CAMION CON I PROVENTI DEI DIRITTI DEGLI ULTIMI MONDIALI DI CALCIO!

DAI, ZIO! UN MILIARDARIO COME TE DEVE ANCHE ESSERE OTTIMISTA!

AVETE RAGIONE, RAGAZZI!

E VISTO CHE DIETRO L'ANGOLO C'È L'INDIRIZZO CHE CERCHIAMO, SONO SICURO CHE CI IMBATTEREMO NELLA PALLA DI CAUCCIÙ!

357

ULP!

TUD

SWISSS

OH, SCUSATE, SIGNORI!

E LA CASA DI PAPERONES DOV'E' FINITA?

SEMPLICE! L'AVRANNO AB-BATTUTA E AL SUO POSTO COSTRUITO QUESTO CAMPET-TO DI CALCIO!

GIUSTO! L'EDIFICIO CHE SORGEVA QUI, ERA IN ROVINA!

SIGH! TORNIAMO A PAPEROPOLI, NIPOTI! INUTILE **PERDERE** ALTRO TEMPO!

LA FACCIA DEL PAPERO CON IL CI-LINDRO NON MI E' NUOVA!

E' VERO! SOMIGLIATE MOLTIS-TISSIMO A UN RITRATTO AP-PESO ALL'UNIVERSITÀ!

HAI RA-GIONE!

YU-UUUH! QUESTA SÌ CHE È UNA NOTIZIA!

E COSÌ...

GLI STUDENTI NON SI SONO SBAGLIATI! C'È DAVVERO UN RITRATTO DI PAULINHO PAPERO-NES!

RETTORE

IL MOTIVO È SEMPLICE! UNA PICCOLA ALA DELLA BIBLIOTECA CONTIENE I SUOI LIBRI!

IN PRATICA, TUTTI I SUOI APPUNTI DI VIAGGI E NAVI-GAZIONE!

BE'... IL MIO AVO È STATO MOLTO GENEROSO A DONARVELI!

DONARLI?! PER AVERLI, IL RETTORE DELL'EPOCA DOVETTE GARANTIRE A PAPERONES UN SACCO DI PRIVILEGI!

ESENZIONE DALLE TASSE COMUNALI, CARROZZA GRATUITA RISERVATA AGLI ACCADEMICI...

EHM... BASTA COSÍ, CONOSCIAMO DI **FAMA** IL CARATTERE DI PAULINHO!

UGUALE A QUELLO DEL PRONIPOTE!

TACI, PAPERINO!

EHM... POTREMMO CONSULTARE I VOLUMI DEL NOSTRO ANTENATO?

VOLENTIERI!

ANCHE SE AVRETE POCO TEMPO A DISPOSIZIONE! TRA DUE ORE LA BIBLIOTECA CHIUDE!

OH, NON IMPORTA!

RIUSCIREMO A TROVARE QUELLO CHE CERCHIAMO!

362

EHI! LA LUCE NON FUNZIONA!

L'AVRÀ STACCATA IL GUARDIANO!

TLAC!

FORSE FUORI DI QUI C'È UN CANDELABRO E... MA COS'È QUESTO RUMORE?

FLAP FLAP

NON AVETE LETTO ALL'INGRESSO DEL SISTEMA USATO IN QUESTA BIBLIOTECA PER LA CONSERVAZIONE DEI LIBRI?

TRA I VOLUMI ANTICHI SI ANNIDANO PICCOLI PARASSITI, INSETTI DANNOSI PER LA CARTA!

COSÌ LA BIBLIOTECA SI SERVE DI UNA COLONIA DI PIPISTRELLI CHE NELL'ORARIO DI VISITA DORMONO TRANQUILLAMENTE...

... MENTRE DI NOTTE, QUANDO I VISITATORI NON CI SONO, SI AGGIRANO TRA I LIBRI A FARE PULIZIA!

FLAP FLAP FLAP

GULP!

IL GIORNO DOPO, A PAPEROPOLI...

ALLORA POSSIAMO SANCIRE IL PASSAGGIO DEI DIRITTI DEL GIOCO DEL CALCIO ALLA MIA PERSONA?

SIGH... SÌ, FIRMATE PURE!

POK

SWISSSSS

AHIO!

C-CHE COSA SUCCEDE?

ARCHIVIA I TUOI SOGNI DI GLORIA, PIVELLO! INTANTO, SE QUALCUNO VUOLE DARE UN'OCCHIATA A QUEL PALLONE...

MA QUI SONO SCRITTE LE REGOLE DEL CALCIO! DOVE L'AVETE TROVATO?

A COIMBRA, IN PORTOGALLO! ERA INCASTONATO NELLO STEMMA DEL MIO AVO PAULINHO PAPERONES! EH, EH!

365

RINUNCIATE QUINDI AI DIRITTI CALCISTICI ANCHE SE POTEVATE ARRICCHIRVI A DISMISURA!

BE'... SONO *GIÀ* IL PAPERO PIÙ RICCO DEL MONDO!

E COSÌ MI ARRICCHIRÒ ANCORA DI PIÙ GUADAGNANDO IN POPOLARITÀ!

UAO! CHE CLASSE!

GIÀ... ALTRO CHE ROCKERDUCK!

IL NOSTRO *TG* SI CHIUDE QUI! A DOMANI!

E BRAVO LO ZIONE! ANCHE QUESTA VOLTA HAI VINTO SU TUTTA LA LINEA!

GIÀ! E LA *FEDERAZIONE*, PER RINGRAZIARMI HA CEDUTO I DIRITTI DI TRASMISSIONE DEL CAMPIONATO PAPEROPOLESE!

PAPERINO E LE RIPETIZIONI PROPIZIE

NON MI IMPORTA SE OGGI TUTTI I NEGOZI SONO **CHIUSI** PER QUELL'**INUTILE** PARTITA DI CALCIO, È CHIARO?

CHIARISSIMO!

PROVALO

VITI

P.PAPERINO

TRAPANI PdP

VARIE

13-2451-5

L'EMPORIO DE' PAPERONI RIMANE APERTO E TU STARAI QUI A LAVORARE!

GIUSTO...

SBANK

EMPOR PdP

...ANZI, GIUSTISSIMO!

MMM...

LAMPADIN (POCO) USATE

COME MAI NON PROTESTI, NIPOTE? TU SEI SEMPRE STATO UN GRANDE **TIFOSO** DI CALCIO!

FORSE UN TEMPO, CARO ZIO...

MA ORMAI TIFO MOLTO DI PIU' PER IL **PROFITTO** E IL **GUADAGNO**...

CHE COSA STAI BLATERANDO?

...COME, DEL RESTO, TU MI HAI SEMPRE INSEGNATO!

SAREBBE ORA CHE TU IMPARASSI QUALCOSA!

COMUNQUE NON MI CONVINCI! HO UN APPUNTAMENTO D'AFFARI, SPERO PER TE CHE NON FARAI SCHERZI!

STA' TRANQUILLO! EH, EH!

LAMPADINE (POCO) USATE

FRITT FRITT

BENE! E' ABBASTANZA LONTANO!

FIGURIA-MOCI SE PER-DO LA SEMI-FINALE DI PAPER LEAGUE!

LA PARTITA INIZIA TRA MEZZ'ORA...DEVO SBRI-GARMI!

CHIUSO

CHIUSURA

SPORTIVA

BENE, LE STRADE SONO DE-SERTE, COSI' HO IL TEMPO PER PREPARARE **TUTTO** NEI MINIMI **DET-TAGLI!**

*P*OCO DOPO...

ECCO FAT-TO!

PAPEROPOLESE

371

TUTTO È **ESATTAMENTE** E **PERFETTAMENTE** AL SUO POSTO, PROPRIO COME QUANDO LA PAPEROPOLESE HA VINTO LE ULTIME PARTITE!

...MANCANO QUINDICI MINUTI ALL'INIZIO...

ADESSO DOVREBBE ARRIVARE TOBY...

DRIIIII

PERFETTO!

IL PIÙ PICCOLO CAMBIAMENTO DI ABITUDINI POTREBBE SIGNIFICARE **SCONFITTA** SICURA!

EHILÀ, PAPERINO!

CIAO, TOBY! LASCIA FUORI L'OMBRELLO, PER FAVORE!

PAPERINO

PERÒ C'È IL POP-CORN AL **DOPPIO AGLIO!**

GLAB! NON QUELLO ALL'AGLIO SEMPLICE?

CHE COSA TI È SALTATO IN MENTE?

BE', HO PENSATO... **DOPPIO AGLIO** COME IL **DOPPIO VANTAGGIO** CON CUI SI CONCLUDERÀ IL PRIMO TEMPO A FAVORE DELLA PAPE-ROPOLESE!

SOB! OGGI PERDIAMO! **SIGH!**

NON AB-BIAMO SPERANZE!

DAI, NON FA-TE COSÌ, RAGAZZI!

INFAT-TI...

...LA PAPERO-POLESE STA PERDENDO UNO A ZERO...

TUTTA COLPA TUA! **SGRUNT!**

BUONI, PERÒ!

GIÀ, DI QUELLA SPUMA E DI QUEI POP-CORN!

INTANTO...

CHE GIORNATA NOIOSA... NON C'E' NESSUNO IN GIRO!

IDEA! ANDRO' A TROVARE PAPERINO!

DRIIN

EHI! SUONANO ALLA PORTA!

UMPF! MEGLIO NON APRIRE!

CIOMP... CIOMP...

LA PAPEROPOLESE RISCHIA DI SUBIRE UN ALTRO GOL...

SEMBRA CHE NON CI SIA NESSUNO... EPPURE...

...DAVVERO UNA SQUADRA IRRICONOSCIBILE, AMICI SPORTIVI...

...C'E' LA TV ACCESA!

MANCA UN MINUTO ALLA FINE DEL PRIMO TEMPO...

ECCOLI!

...CONTROPIEDE DELLA PAPEROPOLESE...

FARÒ UNA SORPRESA!

OOOPS!

PAPEROPOLESE

OUCH!

TUMP

BONK

SCRASH

SEI... ARRIVATO TU... E LA PAPERO-POLESE HA FATTO GOL!

HAI PROPIZIATO LA SEGNATURA!

BAH, ROBA DA NIENTE!

UN MOMENTO! POSSIAMO FARE IN MODO CHE LA PAPEROPO-LESE SEGNI ANCORA...

GIA', BASTEREBBE CHE PAPEROGA RI-FACESSE ESATTA-MENTE QUEL-LO CHE HA FATTO POCO FA!

IL PRIMO TEMPO E' AP-PENA FINITO, ABBIAMO SOLO UN QUAR-TO D'ORA!

SBRIGHIA-MOCI!

COSI'...

QUESTO E' QUASI UGUA-LE!

I NIPOTI CAPIRANNO... ANCHE LORO AMA-NO LO SPORT!

DEVI **FARE** E **DIRE** LE STESSE COSE CHE HAI **FATTO** E **DETTO** PRIMA! CHIARO?

CHIARO!

COSI'... ...DAVVERO UN BRUTTO INIZIO DI RIPRESA PER LA PAPEROPOLESE...

EHM...SIAMO SICURI...

...CHE TUO CUGINO SAPPIA COSA FARE?

SCHERZI?E' UN **ASSO** IN QUEL GENERE DI COSE!

SCRASH

ECCOLO!

SALVE, AMICI... COME VA?

...IMPROVVISO CONTROPIEDE DELLA PAPEROPOLESE... TIRO...

ECCO IL GOL...

INCREDI-
BILE, AMICI
SPORTIVI...

OH,
NO!

BONK

PAPTV

E' TUTTA
COLPA
TUA!

VERO!

?

PRIMA HAI DETTO
"SALVE, RAGAZZI"...
E ADESSO "SALVE,
AMICI"... E' UNA
BELLA DIFFE-
RENZA!

LA DIFFERENZA
CHE C'E' TRA UN PA-
LO E UN GOL!

VERGO-
GNA!

BISOGNA RIFARE!
FUORI, MENTRE
NOI PREPARIAMO
TUTTO! E NON
SBAGLIARE!

GULP!

POCO
DOPO...

SALVE...EHM...
RAGAZZI...
COME VA?

...TRAVERSA DELLA PAPE- ROPOLESE... GLAB!

QUESTA VOLTA HO DETTO LA FRASE ESATTA!

PERO' ERI POCO CONVIN- TO...

FUORI, BISOGNA RIFARE TUTTO DA CAPO!

SVARIATI TEN- TATIVI DOPO...

MENO DI UN MI- NUTO ALLA FINE E IL RISULTATO E' SEMPRE DI PARITA'...

GROAN!

...MA LA PAPEROPOLE- SE SEMBRA SEN- ZA ENERGIA...

ANCH'IO!

VOGLIO RIPROVARE UN'ALTRA VOLTA!

PAPERGOL

Direttore responsabile
Valentina De Poli

Vicedirettore
Ezio Sisto

Redazione
Lidia Cannatella (caporedattore collezionisti),
Gianfranco Cordara (caporedattore comics &
new media), Davide Catenacci
(caporedattore comics),
Santo Scarcella (caporedattore attualità),
Silvia Banfi, Barbara Garufi, Stefano Petruccelli,
Gabriella Valera

Redazione grafica e artistica
Vito Notarnicola (caporedattore),
Cristina Meroni (caposervizio), Luana Ballerani

Segreteria di redazione
Francesca Fagioli, Monica Gazzoli

© Disney - Pubblicato da The Walt Disney Company
Italia S.p.A. - Via Sandro Sandri, 1 - Milano

Editing: Stefano Ambrosio e Max Monteduro

Copertina: Andrea Freccero e Max Monteduro
Grazie a Daniele Morini per la paziente ricerca d'archivio

The Walt Disney Company Italia S.p.A.

■ **Direttore divisione periodici**
Mauro Lepore

■ **Publisher**
Gianluca Landone

■ **Marketing**
Senior marketing manager:
Emanuela Peja
Product manager: Marianna Mancuso
■ **Pubblicità**
Direzione: Sergio Baro
Advertising & B-to-B manager: Simona Imperial
Advertising manager: Piero Strada
Advertising & B-to-B coordinator:
Donatella Muntoni

■ **Abbonamenti**
Direzione: Alessandro Doninelli
Customer & service assistant: Marinella Schieppati
Promotion assistant: Donata Fallarini
■ **International**
Direzione: Silvia Figini
Coordinamento: Elena Garbo (Junior manager)
■ **Operations**
Direzione: Roberto Vicinanza
Printed Materials Purchasing Manager:
Manuel Magni
Production and Logistics Manager: Andrea Cattaneo
Coordinamento: Nadia Cucco

■ Direzione e redazione
periodici Disney
Via S. Sandri, 1
20121 - Milano
tel.: 02290851;
fax redazione: 0229085162

■ Fotolito:
Lito milano - Brugherio (MI)

■ Stampa e rilegatura:
Rotolito Lombarda
Cernusco S/N - Milano

■ Diffusione e distribuzione:
PRESS-DI
Distribuzione Stampa e
Multimedia S.r.l.
20090 Segrate (Mi)

■ Pubblicità:
Sky Pubblicità Italia
Via Piranesi, 44/A
20137 Milano
tel. 02/70022950
fax 02/70022039
giancarlo.cani.salesagent@skytv.it

Più Disney n. 43
Codice ISSN 1125-5412
Pubblicazione registrata
presso il Tribunale di Milano
n. 8 del 18 gennaio 1997